D1282968

Wiktor
Osiatyński
REHAB

Wiktor Osiatyński
REHAB

Opracowanie graficzne Andrzej Barecki
Wydanie I
Copyright © by Wiktor Osiatyński, Warszawa 2003
Copyright © by Wydawnictwo ISKRY, Warszawa 2003
ISBN 83-207-1738-8
Wydawnictwo ISKRY, ul. Smolna 11, 00-375 Warszawa
Dział handlowy: tel./faks (0-22) 827-33-89
e-mail: iskry@iskry.com.pl
www.iskry.com.pl
Przygotowalnia: *Notus*, Warszawa
Druk i oprawa: Drukarnia Naukowo-Techniczna, ul. Mińska 65, Warszawa

We wtorek o wpół do piątej po
południu wysiadł z autobusu na dworcu w nieznanym mu
małym miasteczku. Miał go spotkać kierowca z tabliczką
„Farma" w ręku. Trudno mu dziś, po latach, przypomnieć
sobie, co wtedy czuł. Chyba pustkę. Może niepokój i zmie-
szanie. Przez chwilę chyba nawet ucieszył się, że nikt nie
czekał. Może pomyślał, że będzie mógł z czystym sumieniem wrócić do Nowego Jorku i nie zawracać sobie więcej
tym głowy.

Od kilku dni zastanawiał się, po co w ogóle ma tam jechać.
Przecież już nie miał problemu, sam sobie poradził. Od
ostatniego razu, 22 kwietnia, minęło prawie pięć miesięcy.
W tym czasie wykładał na uniwersytetach w Los Angeles
i San Francisco, przygotował poważną pracę naukową, a później, gdy znów został sam w Nowym Jorku, pisał książkę.
Właśnie skończył ją nad ranem, przespał się godzinę, zawiózł maszynopis do wydawcy i wsiadł do autobusu.

Wszystkie książki zawsze kończył nad ranem. Spał krótko
albo w ogóle nie spał i zanosił maszynopis. Był dumny z pra-

cy, z jej rezultatu, a zwłaszcza ze zmęczenia. Z wytrwałości, która pozwalała mu odizolować się od świata i pisać. Trzy tygodnie, miesiąc, półtora. Wtedy wierzył, że ma silną wolę i charakter. Redaktorom, którzy zazwyczaj nie kryli zdumienia, że tak szybko przyniósł nową książkę, chętnie mówił o swoim wysiłku, o zmęczeniu. Słynął z pracowitości. Zyskiwał aprobatę, czuł się podziwiany. Wtedy szedł do kawiarni i zamawiał zimne piwo. Miał w ustach suchy, metaliczny posmak z niewyspania i zmęczenia, i choć nie lubił piwa, wiedział, że poprawi mu nastrój. Potem pił drugie piwo i zjadał kanapkę. Później wypijał koniak albo wódkę. Pierwszą, drugą, trzecią. Czuł, jak wychodzi z niego zmęczenie i wchodzi weń energia. Energia życia, zupełnie inna niż energia pracy. Rozluźniona energia zasłużonego urlopu. Mawiał, że jedni jeżdżą na urlop do Zakopanego albo Międzyzdrojów, a on do knajpy. Bo musi wyciszyć mózg. Na plaży bez przerwy myśli, co można by było o tej plaży napisać. W górach – że powinien coś napisać o górach. A jak pije, to o niczym nie myśli. I rozum mu wypoczywa. A dokładniej, po tygodniu, dwóch albo nawet i sześciu, gdy wypocznie i już dostatecznie się ześwini, tak że fizycznie i psychicznie będzie mu trudno znieść ciężar dalszego picia, wtedy wraca do pracy, żeby się uczłowieczyć. Mawiał, że najbardziej twórczą siłą, jaką zna, są wyrzuty sumienia.

Tego ranka zamiast na piwo poszedł na dworzec autobusowy. W drodze czytał broszurki, które mu przysłano do Nowego Jorku po uzgodnieniu daty przyjazdu na Farmę. Wryło mu się w pamięć zdanie z jednej z nich: „Zdajemy sobie sprawę, że lecząc alkoholizm, leczymy jedynie zewnętrzne objawy, a nie istotę choroby". Zdziwiło go, że największe restrykcje dotyczyły lekarstw. Wszystkie, nawet zapisane przez lekarza, trzeba było zdeponować w biurze. Leki, uznane za niezbędne przez miejscowego lekarza, miały być wydawane przez pielęgniarki. Przy sobie można było mieć tylko nitroglicerynę, jeśli komuś groził zawał.

Zdziwiło go to, ale nie zaniepokoiło, bo leków nie używał. Zwrócił uwagę na regulamin. Przez pierwszy tydzień nie miał prawa do ćwiczeń fizycznych, spacerów i odwiedzin. Po tygodniu wręcz wskazane były odwiedziny przez rodzinę, ale jego rodzina była daleko. Miał prawo do trzech rozmów telefonicznych tygodniowo, ale personel mógł ograniczyć nawet tę liczbę. Wyglądało to tak, jakby jakaś ściana dzieliła Farmę od reszty świata. Wewnątrz też zresztą były liczne ograniczenia. Ostrzegano go mianowicie, że po kilku dniach aklimatyzacji może zacząć silnie odczuwać takie emocje, jak samotność, czułość czy romantyczny nastrój. Może poczuć zaciekawienie lub pociąg do kogoś. Poddanie się takiemu uczuciu zniweczy cały wysiłek, jest więc surowo wzbronione. Zmartwił się, bo podświadomie chyba liczył na jakąś przygodę.

Wszystko to zrodziło w nim niepokój, który nasilił się, gdy na dworcu nie spotkał nikogo z Farmy. Zatelefonował z automatu. Dowiedział się, że kierowca zaraz przyjedzie. Wszedł do sklepu naprzeciw dworca. Kupił flanelową koszulę w czerwoną kratę, trzy ciepłe podkoszulki, bordową bluzę i szarą pikowaną kamizelkę. Później zdał sobie sprawę, że te zakupy nie były przypadkowe.

Przyjechał kierowca. Przed dwoma laty sam był pacjentem, a teraz pracuje na Farmie jako człowiek do wszystkiego. W. zapytał, czy tam leczą lżejsze przypadki, bo już od dawna w ogóle nie pił. Kierowca powiedział, żeby W. się nie obawiał, poprzedniego dnia przywiózł ze stacji gościa, który od trzynastu lat nie miał alkoholu w ustach i też przyjechał się leczyć. Tego W. nie mógł zrozumieć.

Jechali około dwudziestu minut krętą drogą pod górę. Zatrzymali się na parkingu koło szpitala. Poszli do biura w suterenie innego budynku. Tam przejął go Ben, który akurat pełnił nocny dyżur. Ben był bardzo poważny i jakby lekko usztywniony. Upewnił się, że W. nie ma przy sobie lekarstw, i powtórzył zasady regulaminu. Powiedział, że o 8.45 wieczorem można zjeść kanapki, lody, ciastka i owoce. Od jedenastej obowiązuje cisza nocna. Ben zapytał retorycznie, co W. tu sprowadza. Zaciekawił się, jakie książki W. pisuje, ale nie chciał wchodzić w szczegóły. Po chwili rozmowy powiedział, że W. będzie w grupie terapeutycznej numer 1, prowadzonej przez Lindę. Jego monitorem zostanie Ann. Ben zapisał to na karteczce, a potem pokazał W. wstępną umowę między pacjentem a zakładem. Cztery punkty były wydrukowane, takie same dla wszystkich: musi chodzić na wykłady i na wszystkie inne zajęcia; powinien przeczytać „Wielką księgę", zaczynając od rozdziału piątego, który musi przeczytać w ciągu pierwszego tygodnia; ma utrzymywać w czystości swoją połowę pokoju oraz spędzać jak najwięcej czasu w saloniku „omawiając z innymi pacjentami zdarzenia, które doprowadziły go do przyjazdu na Farmę". Pod tym Ben dopisał punkt piąty, specjalnie dla niego: „Rozmawiaj z innymi pacjentami o konkretnych przypadkach, kiedy picie powodowało problemy w twoim życiu". Ben sam podpisał umowę i podsunął ją W. Następnie uścisnął mu rękę, mówiąc: *Welcome aboard*, czyli „Witaj na pokładzie". Dał mu notatnik i „Wielką księgę", czyli grubą książkę w niebieskiej płóciennej okładce, zatytułowaną „Alcoholics

Anonymous". Na koniec powiedział, że sam też jest alkoholikiem i również się tu leczył, po czym zaprowadził go do pokoju numer 55.

Pokój znajdował się w długim parterowym baraku, jednym z dwu, jakie stały prostopadle do głównego, trzypiętrowego budynku, w którym mieściły się biura, pokoje lekarzy, salonik i tarasy, gdzie przesiadywali pacjenci. W pokoju stały dwa łóżka, podzielona na dwie części szafa, dwie szafki nocne; była tam też łazienka z prysznicem. Nie było telewizora ani radia. Współlokatorem okazał się Dole, czterdziestoletni Murzyn, przyjazny, ale niezbyt rozmowny.

W. rozpakował torbę i poszedł do saloniku. Było tam dużo dymu papierosowego; jedni czytali, inni rozmawiali, jeszcze inni coś pisali w zeszytach. Czuł niewidzialną barierę między sobą a pozostałymi, ale nie mógł jej przełamać. Gdy ktoś go o coś zapytał, odpowiadał zdawkowo. W jadalni, przy kanapkach, gdy zobaczył, jak dorośli mężczyźni obejmują się, pozostając dość długo w uścisku, poczuł obrzydzenie. Trochę nasłuchiwał rozmów, które prowadzili inni. Niewiele do niego docierało. A już zupełnie nie potrafił zacząć rozmowy z innymi pacjentami o tym, że picie spowodowało problemy w jego życiu.

Dużo myślał o tym, co powiedział Ben: „Ja też jestem alkoholikiem". Ubodło go to „też". Owszem, przyznawał, że ma problem. Na spotkaniach AA przedstawiał się tak jak inni: „Na imię mam W. i jestem alkoholikiem", ale od jakiegoś czasu już nie był o tym tak bardzo przekonany jak wiosną. Czyż nie dał sobie rady przez ostatnie miesiące? Podobnie uważali ludzie z jego otoczenia, przeważnie też pisarze, dziennikarze, naukowcy. „Po co ci ta kuracja? Skoro tak długo nie pijesz, to nie jesteś alkoholikiem. Przecież masz silną wolę" – przekonywali.

On też tak uważał. Także później często rozpamiętywał, dlaczego w ogóle pojechał na Farmę. Po siedemnastodniowym ciągu w Waszyngtonie ktoś doradził mu, by spotkał się z Jimem, dyrektorem jednej z wielkich korporacji w Nowym Jorku. Jim najpierw zapytał o jego problemy. Chwilę słuchał, po czym przerwał i powiedział, żeby W. się nie martwił, bo on sam przez to przechodził, jak tysiące innych ludzi. Opowiedział o sobie. Gdy mówił o uczuciu samotności, o poczuciu winy i wstydzie, z którymi budził się każdego ranka, o lęku, z jakim reagował na dźwięk telefonu – W. uświadomił sobie, że on sam też miewał podobne uczucia. Potem Jim powiedział, że już od sześciu lat czuje się inaczej. W południe zaprowadził go na mityng AA, a potem zaproponował, by W. pojechał na cztery tygodnie na Farmę. To właśnie tam Jim powrócił do życia.

W. nie mógł jechać, bo musiał pracować i opiekować się rodziną, która przyjechała na trzy miesiące w odwiedziny. Jim powiedział, że nic nie szkodzi, będzie mógł to zrobić, gdy rodzina wyjedzie. W. nie miał jednak ubezpieczenia ani pieniędzy na kurację, która kosztowała blisko cztery tysiące dolarów. Po kilku dniach Jim zadzwonił z wiadomością, że zostanie przyjęty bez pieniędzy, będzie mógł zwrócić należność za kurację w przyszłości. Na razie ma nie pić, chodzić na spotkania AA i co jakiś czas dzwonić do Jima. W. chodził raz lub dwa razy w tygodniu i słuchał, jak alkoholicy opowiadali o koszmarze picia i radości trzeźwienia. Po dziewięćdziesięciu dniach W. miał sam opowiedzieć o sobie. Powiedział, że już nie pije, pisze książkę, czuje się dobrze i pewnie, ale wciąż chodzi do AA, bo dzięki temu, co tu słyszy, nadal boi się pić. Gdy się dłużej nie odzywał, Jim telefonował do niego. Nie nalegał, tylko pytał, jak W. się czuje i czy jest już gotów. Nie był. Gdy rodzina wyjechała, ważniejszy był kontrakt na książkę, który podpisał z amerykańskim wydawcą. Na początku września nie miał już powodów, by odwlekać wyjazd. Tylko że już nie uważał kuracji za niezbędną. Przecież doskonale sobie radził, zwłaszcza zawodowo.

Dziś W. jest przekonany, że pojechał na Farmę, bo nie potrafił powiedzieć Jimowi „nie". Czuł się zobowiązany jego bezinteresowną troską i pomocą. Jim zrobił dla niego tak wiele, że W. czułby się niewdzięcznikiem, gdyby nie pojechał. Bał się dezaprobaty Jima. Ale wówczas jeszcze o tym nie wiedział, bo nie potrafił się przyznać przed samym sobą do tego lęku. Uzasadnił swoją decyzję inaczej. W Ameryce dokuczała mu samotność, miał nadzieję, że na Farmie pozna kogoś ciekawego, może jakąś dziewczynę. Uznał też, że kuracja przecież mu nie zaszkodzi, nawet jeśli jej nie potrzebuje. Zwłaszcza że niedługo miał wracać do Polski, gdzie wszyscy namawiają do picia, a więc dobrze będzie trochę się wzmocnić. Ale przede wszystkim wierzył, że przywiezie stamtąd książkę. Przecież był reporterem, zbierał tematy po całym świecie, szkoda zmarnować taką okazję. Zresztą także że znajomi, którzy wątpili w potrzebę kuracji, aprobowali pomysł wyjazdu, gdy tylko wspominał o planach literackich.

I chociaż sam się trochę bał tych planów i do końca nie wiedział, dlaczego i po co znalazł się na Farmie, postanowił prowadzić dziennik. Wieczorem w dniu przyjazdu zapisał:

Skoro nie jestem z detoksu i prawie pięć miesięcy nie piłem, to dlaczego tu w ogóle przyjechałem?

Alkoholizm to rak duszy. (Potem to zdanie skreślił).
Nie igrać z emocjami.
Dziś już nie pamięta, czy od razu zasnął.

DZIEŃ PIERWSZY, ŚRODA

Przez cały dzień czuł przemożną senność. Wstał o 5.45, nigdy tak wcześnie nie wstawał. Śniadanie było o 6.30. Każdy podchodził do bufetu i wybierał sobie, co chciał. Jajka na kilka sposobów: sadzone, gotowane, jajecznica – z szynką, bekonem albo kiełbasą. Kilkanaście rodzajów płatków śniadaniowych, różne owoce, soki, trzy rodzaje mleka: tłuste, półtłuste i bez tłuszczu, kawa, wiele rodzajów herbat – naturalnych i ziołowych. Na kartce trzeba było napisać swoje imię i wybrany rodzaj gorącego posiłku, który później przynosili do stołu pacjenci – kelnerzy. W. pamięta, jak trudno mu było dokonać wyboru; zamówił wszystko, co mógł, mimo że nie był głodny.

O 8.15 zebrali się w sali wykładowej, która mieściła około siedemdziesięciu krzeseł, pacjentów było sześćdziesięciu. Na ścianach wisiały dwie kartonowe tablice: na jednej było wypisane „12 kroków", a na drugiej „12 tradycji" AA. Nad sceną wisiał portret założyciela Farmy.

W. wiedział już, że „kroki" i „tradycje" zostały spisane przez pierwszych anonimowych alkoholików pięć lat po powstaniu ruchu w 1935 roku. W „krokach" zapisali oni to, co robili i dzięki czemu potrafili wytrwać w trzeźwości. Dlatego „kroki" są sformułowane w pierwszej osobie liczby mnogiej i w czasie przeszłym. Założyciele AA mówili w ten sposób do innych: „Popatrz, co nam pomogło. Jeśli chcesz, możesz spróbować tego samego. Może tobie też pomoże". O ile „12 kroków" odnosi się do treści programu wyzdrowienia z alkoholizmu, to „12 tradycji" z kolei dotyczyło samych zasad funkcjonowania wspólnoty AA.

Wykład zaczął się od pytania, czy jest ktoś nowy. W. z trudem wykrztusił słowa: „Na imię mam W.". Odpowiedziało mu chłodne milczenie. Wtedy dodał: „Mam problemy z alkoholem". Dostał brawa. To go ośmieliło i powiedział, że jest z Polski. Dostał jeszcze większe brawa. Potem wstawali inni ludzie i mówili rzeczy dla W. niezrozumiałe. „Na imię mam Claudia i jestem alkoholiczką. Mam wam powiedzieć o tym, że jestem w porządku". Brawa. Albo: „Na imię mam Robert i jestem alkoholikiem. Nie przyjechałem tu dlatego, że jestem zły i mam stać się dobry, ale dlatego, że jestem chory i mam wyzdrowieć". Albo: „Na imię mam Rick i nie muszę się wstydzić swoich uczuć. Kocham was wszystkich. Siebie też kocham". Wszyscy dostawali brawa.

Potem zaczął mówić starszy pan w kowbojskim kapeluszu. Tematem wykładu była analiza ostatnich trzech z „12 kroków". W. nic z tego nie rozumiał, zwłaszcza że starszy pan sporo mówił o bogu, ale nie o określonym bogu, lecz o takim „jakkolwiek każdy go rozumie". W. już od dwudziestu pięciu lat nie potrzebował Boga rozumieć, więc puszczał to mimo uszu. Zauważył tylko, że wykładowca mówił dowcipnie i ciekawie. A także to, że w tym, co mówił, w ogóle nie było żadnej teorii, tylko fakty i przykłady z życia. Zapamiętał fragment dotyczący poświęcania czasu rodzinie i dzieciom: „Kiedy piłem, nie miałem dla nich czasu. Teraz chodzę na spotkania AA i nadal nie mam czasu. Ale trzeba go znaleźć". W. też często miewał wyrzuty sumienia, że nie ma czasu dla rodziny.

Po wykładzie był czas wolny na pracę własną. Ale już o 9.15 Warren zwołał spotkanie grupy 1. Na Farmie było sześć grup terapeutycznych, mniej więcej po dziesięć osób w każdej. Kiedy jedni uczestnicy odchodzili z grupy po skończonym leczeniu, na ich miejsce przychodzili nowi, w efekcie w każdej grupie byli ludzie o różnym stażu na Farmie. W grupie 1 Ken był już dwadzieścia sześć dni i za dwa dni miał wracać do domu. Warren i Liz też już byli na wylocie. Maria miała za sobą ponad dwadzieścia dni kuracji. Erik, Jack i Helena byli mniej więcej w połowie pobytu. Adam przyszedł tydzień przed W., Bill kilka dni po Adamie, a Rick okazał się tym niepijącym od trzynastu lat pacjentem, którego poprzedniego dnia przywiózł kierowca.

Warren zwołał zebranie, bo uważał, że Jack i Erik mają za silne ego i nie chcą przyznać się, że są bezsilni wobec alkoholu. W. nie wiedział, o czym mowa: zawsze przypuszczał, że trzeba mieć silną wolę, zwłaszcza wobec alkoholu, a tutaj już pierwszego dnia kilka razy usłyszał radę, by „zabić swoje ego" i zapomnieć o silnej woli.

Na początku spotkania Ken poprosił, żeby W. się przedstawił. Powiedział o planach napisania książki i o tym, że chce wzmocnić swoją wolę przed powrotem do Polski. Dokładnie zresztą nie pamięta, co powiedział, ale opisując wieczorem w dzienniku tę wypowiedź, dopisał innym kolorem: „bzdury". Potem kolejno opowiadali: Jack o swoim małżeństwie, Erik o pierwszej dziewczynie i Adam o własnej słabości.

O 11.45 był lunch. Najpierw trzeba było stanąć w kolejce do bufetu, z którego można było wybrać najróżniejsze sałatki i zupę, a później kelnerki i kelnerzy – pacjenci – roznosili zimne i ciepłe kanapki. Jadalnia była czysta, stoły pięknie nakryte, a jedzenie świetne. W. pomyślał, że co jak co, ale podje tu solidnie. Po obiedzie uciął sobie drzemkę, która niewiele mu pomogła, nadal czuł senność.

We wtorki, środy i czwartki o wpół do drugiej były zajęcia grupowe z terapeutą, zwanym na Farmie counselorem. Poza tym grupa obowiązkowo zbierała się sama, bez terapeuty, w niedzielę o wpół do siódmej wieczorem. Ponadto każdy pacjent miał prawo zwołać spotkanie swojej grupy, kiedykolwiek uznał to za potrzebne. Większość pacjentów korzystała z tego prawa w nadmiarze. W. był zmęczony ciągłymi spotkaniami, bo nie miał chwili spokoju, by się zastanowić nad tym, co wokół siebie widzi, nie miał nawet czasu na prowadzenie starannych notatek.

Terapeutką grupy 1 była Linda, kobieta przy kości, pod sześćdziesiątkę, z krągłą twarzą, pokrytą zmarszczkami. Twarda, ostra w pytaniach, od pierwszego zdania widać było, że myśli bardzo precyzyjnie.

Na początku zapytała W., kim jest.

– Pisarzem – odpowiedział.

– Ale chyba nie trafiłeś tu dlatego, że masz kłopoty z pisaniem?

– O, przepraszam, zapomniałem. Miewam problemy z alkoholem.

– Co to znaczy?

– Myślę, że mogę być alkoholikiem.

– Możesz czy jesteś?

– Nie wiem. Chyba przyszedłem tu właśnie po to, żeby się o tym przekonać.

– Na razie to zostawmy. Ale nie chcesz mieć kłopotów z alkoholem. Więc jeśli zapomnisz o alkoholu, a także o tym, że jesteś pisarzem, to kim jesteś?

Tego W. nie wiedział. Nikt nigdy nie zadał mu takiego pytania. On sam też nigdy go sobie nie postawił. Po chwili milczenia Linda powiedziała:

– Nie wiesz. To też zostawmy. Będziesz miał dużo czasu, by szukać na to odpowiedzi.

Zwróciła się do Erika:

– A ty co miałeś na dzisiaj przygotować? Historię picia?

W. poczuł się nagle opuszczony, jakby zawieszony w próżni. Chciał ciągnąć temat, dowiedzieć się, kim jest, a może tylko nadal rozmawiać, bo zawsze kiedy mówił, czuł się pewniej, niż gdy po prostu był. Więc gdy Erik na samym początku powiedział, że alkoholizm to choroba, bo prowadzi do śmierci, W. przerwał mu pytaniem, czy palenie to też choroba, skoro również prowadzi do śmierci. Erik na to, że palenie to nie choroba, ale rak to choroba.

Co zatem różni alkoholizm od palenia? Zgadzam się, że to choroba, ale chyba nie tylko dlatego, że prowadzi do śmierci – skonkludował W., dumny ze swego rozumowania.

Linda nawet na niego nie spojrzała.

– Czy ta intelektualna dyskusja do czegoś prowadzi? – zapytała grupę. Nikt nie potwierdził. – To czemu tego nie przerwiecie, przecież to strata waszego czasu.

Erik, trzydziestoletni, dobrze zbudowany Murzyn, opowiadał swoją historię picia. Kiedy powiedział, że pił w wojsku, bo wszyscy tam pili, Linda znów mu przerwała:

– Ty masz mówić o sobie, a nie o innych, o tym, jak alkohol ci przeszkadzał w życiu, a nie o tym, dlaczego piłeś.

– A czy ty piłeś, kiedy rodziły się twoje dzieci? – zwróciła się do Adama. Pił. Dziś ma problem. Jego ojciec, też ostro pijący, nie akceptuje tego, że syn uznał siebie za alkoholika. Adam nie może znieść krytycyzmu i potępienia ze strony ojca.

– A kiedy piłeś, mogłeś mieć właściwy stosunek do dzieci? – zapytała Linda.

– Nie.

– Twój ojciec pije?

– Tak.

– To czemu oczekujesz od niego rzeczy niemożliwych?

Adam to rozumie, ale trudno mu się z tym pogodzić. Teraz Bill. Ma trudności z mówieniem, bardzo się jąka. Mówi o żonie. Gdy przestał pić osiem miesięcy temu, odszedł od niej. Później chciał wrócić, ale ona już go nie chciała. Wciąż jest na nią wściekły. Nie chce nawet myśleć o powrocie do domu; chce nie pić i być trzeźwym dla siebie samego, a nie dla żony.

– Chyba bujasz, bo przecież ona aż tutaj przysyła ci kwiaty – mówi Ken.

– Nie chcę o tym myśleć – mówi cicho Bill.

Liz. Młoda dziewczyna, która nie wie, czy ma wrócić do pracy, czy nie. W pracy sporo się pije. Liz nie dostrzega tego ani związanych z tym zagrożeń. Co chwilę zaprzecza samej sobie. Jest bardzo impulsywna. Gdy inni o coś ją pytają, natychmiast wpada w ton kłótni. Linda nie ingeruje. Na końcu tylko mówi, że obawia się o Liz.

W. zwrócił uwagę, że u wszystkich mężczyzn, którzy mówili o sobie, alkohol był ściśle związany ze stosunkami z kobietami. Z poszukiwaniem ciepła, z miłością, a także z lękami na tym tle.

Po wczesnej kolacji, o 5.15, Warren znów zwołał grupę, bo Liz obraziła się na Lindę i chce wyjeżdżać – na pięć dni przed końcem kuracji. Ken, Warren i Maria tłumaczą, że to jej wypowiedzi były niejasne, a Linda wyraziła jedynie troskę o jej zdrowie, i Liz zostaje. Bill mówi, że postanowił napisać kartkę do żony. Ktoś mu radzi, żeby wpierw przeczytał ją grupie. Helena mówi, że sama też napisała kilka dni wcześniej list do brata, który zmarł przed trzynastu laty. „Był dla mnie jak ojciec. Dopiero teraz będę mogła pójść na jego grób z kwiatami, a nie ze łzami".

O siódmej wieczorem odbył się kolejny wykład dla całej społeczności. Tematem była miłość. Miłość jako rozwój, a dokładniej – rozwój dwojga ludzi. „Kocham kogoś, bo się z tym kimś rozwijam albo chcę rozwijać". W. nie potrafił dopasować tego do swoich przeżyć i przemyśleń. Dla niego miłość miała dwa wymiary: seksu, czyli zdobycia kobiety, i poświęcenia dla drugiego człowieka. Od tych, którzy go kochali, mógł oczekiwać więcej niż od innych. Potem była mowa o miłości jako odpowiedzialności, ale tego W. już nie słyszał, bo zasnął. Po wykładzie wymigał się od uścisków, którymi obecni obdarzali się wzajemnie, poszedł do pokoju i padł jak kłoda na łóżko.

Nazajutrz wczesnym rankiem zapisał w dzienniku, przy opisie spotkania grupy w sprawie Lindy:

Zasadnicza sprawa, o którą chyba tu chodzi, to zmiana spojrzenia na fakty, tak żeby: 1/ dostrzec, ile problemów alkohol spowodował; 2/ uznać, że się jest bezsilnym wobec pijaństwa. U mnie problemy są oczywiste, no i na dodatek wątroba. A bezsilność: chyba jej przejawem był początek picia, ni z tego, ni z owego w marcu w Waszyngtonie. No i później ciąg w kwietniu. Pytanie: Co się za

tym kryje? Czemu wpadłem w ten ciąg? Dlaczego zaczynałem pić?
Drugie spostrzeżenie dotyczyło jego samego:
Myślałem do dzisiaj, że moje życie to była praca przerywana okresami pijaństwa. A przecież mogę widzieć swoje życie jako pijaństwo czasem przerywane okresami pracy.
Na koniec notatki z całego dnia zapisał, czego się nauczył:
1. Kwestia percepcji.
2. Myślenie ma do czegoś prowadzić.
3. Uznanie bezsilności wobec alkoholu.
4. Rola rodziny i związków z drugim człowiekiem, miłości.
Moje problemy to związki z innymi. Lęki, miłość i seks. Drugi człowiek. Czekanie na telefon. Zazdrość.

DZIEŃ DRUGI, CZWARTEK

Przy śniadaniu Rick ogłosił wielką nowinę. Uznał, że jest zwykłym pijakiem. „Przez całe lata myślałem, że jestem chory, chodziłem do psychiatrów, szukałem cudów. A teraz wszystko stało się proste. Jestem po prostu pijakiem, a nie czubkiem".

Po śniadaniu W. poszedł zobaczyć, na czym polegają medytacje. Około dwudziestu pacjentów stało w kręgu, kolejno czytając krótkie fragmenty z kilku książeczek, przypominających książeczki do nabożeństwa. Były w nich myśli, medytacje, modlitwy, ktoś czytał jakieś wiersze i uduchowioną prozę, ale W. był wzrokowcem i nie mógł uchwycić myśli czytanych przez innych. Na koniec wszyscy znów wszystkich obejmowali. Na szczęście medytacje trwały tylko piętnaście minut i nie były obowiązkowe.

O 8.15 był, jak co dzień, wykład dla całej społeczności, ale W. został wezwany na wstępną rozmowę z terapeutką, która miała opracować plan leczenia. Ku zdziwieniu W. nie była to Linda ani Ann, których imiona znajdowały się na karteczce wręczonej pierwszego wieczoru przez Bena, lecz Susan, młoda dziewczyna, która chyba odbywała staż terapeutyczny na Farmie.

Susan poprosiła, żeby opowiedział jej pokrótce o swoim życiu, a później zapytała o problemy z alkoholem. Na początku W. czuł się trochę skrępowany, ale szybko się otworzył. Mówił nie tylko o tym, jak i ile pił, ale również dlaczego. Nie ukrywał niczego, nawet spraw, których się wstydził: swojej samotności, zazdrości i masturbacji, napięć związanych z pracą, znudzenia ludźmi. Miał jednak wrażenie, że Susan nie doceniła w pełni tej szczerości. Raczej pytała go o nieistotne szczegóły z dzieciństwa i młodości. O ojca i rodzeństwo, o szkołę i studia, o pierwsze przypadki picia, kiedy nie miał jeszcze żadnych problemów. Czy kiedyś chciał przestać pić? Tak, wielokrotnie przestawał, zawsze gdy postanowił zabrać się do pracy. Czy miał jakieś kłopoty ze zdrowiem lub z policją? Z policją nie, ze zdrowiem – jeszcze nie, ale obawia się, że może mieć.

Rozśmieszyło go pytanie, czy kiedykolwiek urwał mu się film. Przecież jako młodzieniec po to właśnie pił, bo nie samo picie, ale dopiero urwany film stanowił dowód dojrzałości i męskości. Susan pytała też, czy potrafi przestać pić lub nie zacząć pić, gdy nie chce. W. czekał na te pytania, znany był bowiem z tego, że nigdy nie pił, gdy pisał. Z dumą oświadczył, że ma opracowany sposób przeplatania picia i pracy, toteż nie ma żadnej obawy o to, by się upił, dopóki pracuje; potrafi też przestać pić, kiedy postanawia powrócić do pracy.

Susan zapytała go, czy był kiedyś ofiarą przemocy seksualnej. Odruchowo powiedział „nie", ale poczuł, że to nieprawda. Coś zaczęło dobijać się do jego świadomości. Gdy zapytała o rodzinę, uświadomił sobie, że zapomniał również o swoim pierwszym małżeństwie, jakby go w ogóle nie było. Po blisko trzech godzinach Susan podziękowała „na razie" i poprosiła, by wrócił do niej nazajutrz po południu. W. poszedł do Ann, która była jego monitorem, czyli nadzorowała przebieg kuracji. Dostał do wypełnienia kwestionariusz. Były w nim 24 pytania dotyczące picia i jego konsekwencji. Czy pił przed południem? W samotności? Albo gdy się obudził i nie mógł spać? Oczywiście. Czy zmieniała mu się osobowość, gdy pił? Czy pił, by zmniejszyć napięcie albo lepiej się poczuć w towarzystwie? Czy zmieniał mu się nastrój podczas picia lub po jego zakończeniu? Czy po wypiciu mówił i robił rzeczy, których później żałował? Nie wiedział, po co te pytania, bo przecież każdy, kto pił, przeżywał podobne sprawy, niezależnie od tego, czy był alkoholikiem, czy nie. Podobnie jak zmiany fizyczne – trzęsionki, poty na przemian z przenikliwym zimnem, bezsenność.

Cztery razy odpowiedział „nie". „Czy kiedykolwiek nawalił w pracy, spóźnił się lub gorzej pracował z powodu picia?". Nie miał godzin pracy ani terminów, więc to pytanie go nie dotyczyło. Ale na pewno nie pracował gorzej, jeśli zaś w ogóle istniała jakaś zależność między piciem a pracą, to po okresie picia pracował lepiej. „Czy miał mniej czasu dla innych ludzi, dla rodziny i na zajmowanie się domem lub na przyjemności z powodu picia?". Chyba nie, bo pijąc, przebywał z ludźmi i to właśnie było jego hobby. Jeśli nie miał wystarczająco dużo czasu dla rodziny i na przyjemności, to raczej z powodu pracy niż picia. To pozwalało mu odpowiedzieć negatywnie na kolejne pytanie: „Czy wykazywał mniej troski o siebie, żonę i dzieci?". Jeśli nawet tak było, to nie z powodu picia. I wreszcie: „Czy ktoś z jego rodziny poszukiwał pomocy z powodu jego picia?". Na pewno nie.

Dwa pytania zdziwiły go. „Czy kiedykolwiek próbował w jakiś sposób kontrolować picie?" oraz „Czy kiedykolwiek odczuwał wstyd lub poczucie winy z powodu picia lub zachowania po wypiciu?". Na oba odpowiedział „tak", ale nie rozumiał zasady, na jakiej oparta była cała ankieta. Bo przecież te „tak" miały dla niego zupełnie inny wydźwięk niż poprzednie. Były dowodem zdrowia, a nie choroby. Wszak kontrolowanie picia pozwalało mu żyć i pracować, a poczucie winy było istotnym elementem tej kontroli. Gdy podzielił się z Ann tymi wątpliwościami, ona uśmiechnęła się życzliwie i powiedziała, żeby się nie martwił, bo wszystko się niedługo wyjaśni.

Zaraz po obiedzie było nadzwyczajne zebranie grupy. Na popołudniowym spotkaniu z Lindą Liz miała mówić o sobie i poprosiła innych o radę, co ma powiedzieć. Kilka osób zaczęło jej doradzać, ale najstarsi stażem w grupie, Ken i Warren, zaprotestowali. To nie jest egzamin, do którego trzeba się specjalnie przygotowywać. Liz ma mówić, co myśli i czuje, a nie to, co zdaniem grupy Linda chciałaby usłyszeć. Może oszukać Lindę, ale w ten sposób oszuka tylko samą siebie. A jeśli powie uczciwie o sobie, to może dowiedzieć się od Lindy czegoś, co będzie jej potrzebne, by sobie radzić po wyjściu stąd.

Jednakże Linda tylko słuchała, nie dając żadnych rad. Pod koniec zebrania powiedziała, że mamy dziś trzy „zwroty", dla Warrena, Kena i Liz, którzy mieli wyjść do domu przed kolejnym spotkaniem grupy w następny wtorek. Każdy po kolei mówił, co sądzi o wychodzącym, o jego postępach podczas kuracji, i nad czym radzi mu pracować po powrocie do domu. W. był zaskoczony tym, jak wiele mówiono o uczuciach, i to zarówno o dostrzeganych przez innych uczuciach ocenianego, jak i o tych, które wzbudzał u współkuracjuszy. W. zawsze myślał, że uczucia są sprawą intymną, poza tym nie bardzo umiał dostrzegać i nazywać uczuć, nawet u samego siebie, a co dopiero u innych.

Po spotkaniu grupy dostrzegł Bena, który znów miał wieczorny dyżur. W. wystraszył się, bo w ogóle zapomniał o przedwczorajszym zadaniu, by rozmawiać z innymi pacjentami o kłopotach, jakie miał z powodu picia. Kolacja miała być dopiero za godzinę, więc poszedł na taras. Tam pacjenci siedzieli rzędem w fotelach i palili papierosy. Jeśli rozmawiali, to dwójkami, szeptem. Wszedł do saloniku, do papierowego kubka nalał sobie kawy. Pacjenci siedzieli przy stołach po dwóch, po trzech, o czymś rozmawiali. Nie śmiał podejść, przerywać rozmowy.

Na szczęście dostrzegł go Warren, który siedział z Kenem, Adamem, Billem i jakąś dziewczyną z innej grupy.

– Chodź do nas! – zawołał. – Opowiedz nam coś o Polsce. Jak tam u was piją? Tak samo jak u nas?

– Bardziej. U nas wszyscy piją i prawie wszyscy są pijani, nie tak jak u was – odpowiedział, jeśli nie z dumą, to jednak z pewnym poczuciem wyższości. – Poza tym u nas namawiają do picia, tak że nie można odmówić. Po to zresztą tu przyjechałem – żeby nauczyć się odmawiać.

Poczuł na sobie pełen zaciekawienia wzrok Kena; to dodało mu pewności. Opowiedział o SPATiF-ie i o „Ścieku", o pijaństwie jako sposobie życia twórców i artystów. Przy okazji sam sobie przypomniał wiele przyjemnych i zabawnych chwil związanych z alkoholem, o których przez ostatnie miesiące nie pamiętał. Najbardziej rozbawiło zebranych opowiadanie o tym, jak przed dziesięcioma laty W. pijał z psem. Miewał okresy znudzenia ludźmi, nawet tymi, z którymi pił. Był tak inteligentny i wykształcony, że rozmowy, jakie ludzie zazwyczaj prowadzili, nudziły go. Na trzeźwo nie mógł ich znieść, więc zamykał się w domu i pisał. Po wódce było trochę lepiej, bo – jak mawiał – po pijaku schodzi się bliżej średniej. Ale też do czasu. Kiedyś pomyślał, że gdyby pił z psem gospodarzy, od których wynajmował pokój, nie musiałby wysłuchiwać bzdur. Nalał mu brandy do spodeczka, lecz zwierzę ani drgnęło. Ale pies bardzo lubił paluszki grissini. Kiedy więc W. zamoczył w koniaku paluszek grissini, łaknienie przysmaku przewyższało u czworonoga wstręt do alkoholu. Dokonawszy tego odkrycia, W. codziennie kupował butelkę koniaku i dwie paczki paluszków. Nalewał dwie szklanki koniaku: jedną dla siebie, a w drugiej maczał paluszki. Były grube, porowate i dobrze absorbowały ciecz. W. musiał jednak uważać, żeby nie nasączyć paluszka za bardzo, bo wówczas wstręt przewyższał u psa łakomstwo. Po kilku dniach eksperymentowania doskonale opanował proporcje – właśnie paczka paluszków na szklankę koniaku. Kończyło się to tym, że pies wypijał jedną szklankę, a W. trzy, które zagryzał drugą paczką paluszków. Pies rzygał, a W. zasypiał. Tak było do czasu, gdy W. zakończył ten ciąg i postanowił wrócić do pracy.

Rozbawiło ich to opowiadanie. Tylko Ken się nie śmiał. Wypytywał W. o to, w jaki sposób wychodził z ciągu, gdy wracał do pracy. W. odpowiedział, że najpierw spał, bardzo długo spał. Nie tyle spał, ile leżał, odczuwając na przemian gorące poty i dreszcze z zimna. Zasypiał i znowu budził się, ale nie wstawał. Zazwyczaj tak spał – nie spał przez kilkanaście godzin, kiedyś aż trzydzieści siedem. W końcu wstawał i z determinacją zabierał się do sprzątania mieszkania. Najpierw wynosił puste butelki, potem zmywał brudne naczynia, wyrzucał zepsute jedzenie, którego, kiedy pił, całymi tygodniami nie tykał. Zamiatał i pastował podłogi. Siadał przy biurku, by zobaczyć, ile spraw zawalił podczas ciągu. Robił dwa staranne plany: rzeczy do napisania i spraw do załatwienia. Kiedy już wszystko posprzątał i zaplanował, szedł po zakupy. Zapełniał od nowa lodówkę, kupował dużo owoców i łakoci. Wiedział, że drugiego dnia wróci mu apetyt. Ale wcześniej jeszcze musiał przetrwać przez pierwszą noc, najczęściej bezsenną. Najlepiej, gdy przechodził przez nią, właśnie sprzątając, ale nie zawsze mu się to udawało. Następnego dnia brał się do roboty. Kolejna noc też nie była łatwa. Ale dzięki temu miał więcej siły do pracy, która go czekała, na dłużej też starczało mu energii do niej.

Zebrani słuchali, nie komentując. W. pomyślał, że trudno im go zrozumieć, tak odmienne były jego kultura, wykształcenie, rodzaj pracy, a nawet sposób picia. Zwątpił, czy uzyska tu wzmocnienie, którego potrzebował, postanowił więc skoncentrować się na planach książki: na razie miał słuchać i wszystko starannie notować.

Okazało się to niełatwe. Podczas wieczornego wykładu Stan, skądinąd kierownik księgowości i biura przyjęć, mówił o „twardej miłości". W. był zdumiony, bo już drugi dzień z rzędu mówiono o miłości, ale nie był tak zmęczony jak poprzednio, więc słuchał z zainteresowaniem. Swoim zwyczajem robił notatki w czterech kolorach. Był tym tak pochłonięty, że nie zauważył, kiedy Stan podszedł do niego i, nadal mówiąc, przypatrywał się, co W. zapisuje. Przerwał wykład i powiedział, żeby W. zamknął zeszyt, schował długopisy i po prostu słuchał. Dodał, że na Farmie nie robi się notatek na wykładach, bo kiedy ktoś notuje, to zazwyczaj mniej słyszy, a już na pewno nie przeżywa tego, co słyszy.

Stan najpierw mówił o miłości w ogóle. Odróżnił zakochanie i kochanie kogoś. Zakochanie to pewien stan uczuciowy, jakiemu podlegamy. Kochanie to czynność, akt. W. od razu pomyślał o miłości fizycznej, ale Stan mówił o czymś innym. Akt kochania to decyzja. Jeśli kogoś kocham, to ograniczam na rzecz tego kogoś swoją swobodę wyboru. Już nie robię wszystkiego, co zechcę. Na przykład nie szukam innego partnera, nie zostawiam osoby, którą kocham, nie zrażają mnie trudności w związku z nią. Stan użył słowa *commitment*, którego W. nigdy nie słyszał i nie rozumiał. I w ogóle cała ta teoria nie pasowała mu do niczego, co znał lub przeżył.

Podobnie dalszy ciąg wykładu. Stan wyjaśnił pojęcie „twardej miłości". „Twarda miłość" to zrobić coś pozornie przeciw komuś, ale dla jego dobra. Na przykład powiedzieć gorzką prawdę, choćby taką, że ten ktoś jest alkoholikiem. Albo nie tolerować cudzych słabości. W. ocenił, że taka „twarda miłość" graniczy z krytykanctwem i nietolerancją. Dopiero pod koniec wykładu Stan powiedział coś, co W. zastanowiło. Dlaczego łatwiej nam dawać miłość, niż otworzyć się na miłość drugiej osoby. Bo otwierając się ryzykujemy, że ktoś nas może skrzywdzić, odrzucić. W. przypomniał sobie skierowane do niego słowa sprzed kilku miesięcy: „Dawać umiesz wspaniale, ale zupełnie nie umiesz brać". Czuł jakąś symetrię, chociaż ona mówiła o seksie, a Stan o miłości w innym, nieznanym W. sensie.

Po wykładzie zapytał, po co w ogóle dali mu pierwszego dnia notatnik. Stan poradził, żeby W. jeszcze raz przeczytał broszurkę „Witaj na pokładzie", którą wysłano mu przed przyjazdem na Farmę. Zwłaszcza punkt ósmy. Poszedł do siebie i przeczytał: „Warto wziąć ze sobą notatnik. Przyda się on później do pracy nad obrachunkiem moralnym. Niektórzy mogą również zechcieć robić notatki na wykładach i zajęciach. Stanowczo radzimy, byś nie zapisywał po prostu treści wykładów, ale raczej starał się zidentyfikować z tymi fragmentami, które do ciebie pasują".

W. wiedział lepiej, co i jak ma zapisywać. Przecież pisanie i robienie notatek to jego fach. Obowiązywał go jednak zakaz. Odtąd na wykładach zapisywał ukradkiem poszczególne słowa, które miały mu pomóc jak najwięcej zapamiętać, a zaraz po wykładzie biegł do pokoju, by wszystko starannie zanotować.

Erik zwołał grupę. Słuchając Stana, dostrzegł siebie i teraz mówi o tym, jak się sparzył, kiedy otworzył się na miłość. Opowiadał o pierwszym małżeństwie, o tym, jak odkrył, że żona go zdradzała. To go zamknęło na wszelkie uczucia. Grupa zdecydowała, żeby Erik napisał list do pierwszej żony, w którym ujawni, co czuł, gdy go zdradziła.

Po spotkaniu w grupie, o dziesiątej, W. poszedł spać. Przed pierwszą obudził go sen. Zaciągnął jakąś dziewczynę do piwnicy. Gdy się rozebrała, starannie ją obejrzał. Pomyślał:

Co za syf, i wyrzucił ją na dwór. Został sam z ogromnym poczuciem winy. Wtedy z góry po schodach zeszła do niego bliska mu kobieta z córkami i z kimś jeszcze, kogo nie mógł zidentyfikować. Obudził się z poczuciem winy i z przerażeniem.

Nazajutrz zapisał:

Coś tu się otwiera. Na razie we śnie. Zaczynam sobie przypominać koszmary własnego życia. Coraz więcej problemów, które miałem z powodu alkoholu.

To był chyba mój problem. Bo przez ostatnie cztery miesiące pracowałem, skończyłem wszystko, przyjechałem tu w dobrej formie. I chyba zapomniałem o masie dolegliwości, kłopotów, niepowodzeń, o samotności i ucieczkach w alkohol.

Im tu chodzi o to, żeby przyznać, że jest się alkoholikiem, że jest się bezsilnym wobec alkoholu i że przestało się kierować własnym życiem. Ja to wiem i nie trzeba mnie do tego przekonywać. Na to, że przestałem kierować własnym życiem, mam tysiące przykładów. Choćby świadomość tego, że o ile na początku picie to były przerwy w pracy, to ostatnio praca wypełniała jedynie przerwy w piciu. A bezsilność objawiła się w pełni w kwietniu w Waszyngtonie, gdy zacząłem pić bez żadnych powodów.

Więc wiem, że jestem bezsilny. I co z tego? Jak mogę sam sobie pomóc? Przecież wiedziałem o tym od dawna i nadal piłem. Dlaczego piłem? A tu raczej usuwają pytanie „dlaczego?". Tu chcą wierzyć, że picie jest siłą napędową, a wszystko inne pochodną.

Ale przecież ja zabierałem się do picia właśnie z powodu tych pochodnych.

Mój problem to – jak radzić sobie z życiem bez alkoholu.
Jak radzić sobie z samotnością, ze znudzeniem ludźmi,
ze stosunkami osobistymi, z seksem i z zazdrością.
Jak?

DZIEŃ TRZECI, PIĄTEK
W każdy piątek rano zamiast wykładu były zebrania grup kontrolnych. Ann wyjaśniła, czym ta grupa różni się od terapeutycznej. W grupie kontrolnej znajdują się wszyscy pacjenci przyjęci w poprzednim tygodniu. Są oni w różnych grupach terapeutycznych, razem z pacjentami o dłuższym stażu, i tam odbywa się zasadnicza praca. W grupie kontrolnej natomiast dzielą się z ludźmi, którzy są w podobnym punkcie terapii, swoimi trudnościami i postępami. Pomaga im w tym terapeuta monitorujący. Tutaj przygotowuje się pacjentów do przerobienia poszczególnych kroków, tu też omawia się problemy związane z samym przebiegiem i organizacją kuracji. Monitor zatwierdza również ostateczny plan leczenia i czuwa nad jego realizacją.

W. był zadowolony z takiego podziału ról. Ann budziła zaufanie, promieniowało z niej ciepło i życzliwość. Wolał załatwiać swoje sprawy z nią niż z Lindą, której od pierwszej chwili bał się i nie lubił. Ucieszył się tym bardziej, że właśnie miał sprawę do załatwienia.

Jakiś czas przed wyjazdem z Nowego Jorku dostał z Polski do korekty swoją książkę. Nie zrobił jej na czas, bo pisał już coś innego. Wziął więc książkę ze sobą na Farmę, licząc na to, że zrobi ją w wolnych chwilach. Tu okazało się, że nie ma wolnych chwil i powinien zwolnić się z zajęć na dwa dni, by przeczytać ponad trzysta stron. Zapytał Ann, czy może to zrobić w weekend, kiedy nie ma grup terapeutycznych. Ann odmówiła. Powiedziała, że wymagana jest całkowita koncentracja na leczeniu, dlatego nie ma telewizji ani nawet radia. Ponadto każdy pacjent jest potrzebny w swojej grupie innym. Na dodatek każde wytrącenie z kuracji może spowodować niepowodzenie. W. to nie przekonało, bo przecież stanowił lżejszy przypadek. Za to Ann najwidoczniej nie zdawała sobie sprawy, jak ważne jest to, by odesłać korektę na czas. Powiedział jej o procesie wydawniczym w Polsce, o olbrzymich kosztach poprawek w ołowiu, o tym, że jest to książka jego życia. Ann, nic nie rozumiejąc, postanowiła, że ma odłożyć całą sprawę na tydzień, do przyszłego weekendu.

Zły, zdrzemnął się do obiadu. Po obiedzie zwołał swoją grupę i powiedział, że niestety musi wyjechać, bo Ann nie pozwoliła mu zrobić korekty. Powtórzył to, co tłumaczył Ann. Z grupą poszło mu łatwiej. Postanowili, żeby zrobił korektę w niedzielę i żeby powiedział Ann, że taka jest opinia grupy. Został.

O wpół do drugiej miał dokończyć wczorajszą rozmowę z Susan. Spojrzała w notatki i zapytała W., jak to się stało, że w ogóle postanowił przestać pić. Gdy odparł, że miał już dosyć, a poza tym lekarz nastraszył go marskością wątroby, Susan poprosiła, by szczegółowo to opisał.

Było to w kwietniu, w Waszyngtonie. W dwa dni po ostatnim upiciu dopadło go zaziębienie albo coś innego. Ból w kościach, zmęczenie, chyba miał gorączkę. Była sobota i nie mógł znaleźć lekarza. Zadzwonił do przyjaciela i spytał, czy nie zna jakiegoś. Po godzinie zatelefonował do niego doktor Frank. Zadał mu kilka pytań i powiedział, że zamówi dla W. lekarstwo, które będzie można odebrać w pobliskiej aptece. Kazał mu przyjść w poniedziałek na badanie krwi i moczu. „Gdy będą wyniki, przyjdzie pan do mnie z wizytą". Po chwili dodał: „Aha, proszę do tego czasu nie pić żadnego alkoholu".

W. nawet o tym nie myślał. Dopiero co wyszedł z ciągu i wciąż jeszcze miał szmer w głowie. Na dodatek przyjechała już jego rodzina i postanowił się pilnować. Poza tym miał ogrom pracy, którą zaniedbał w czasie picia. Lekarstwo pomogło na tyle, że nazajutrz poszedł na wesele przyjaciela. Zgodnie z zaleceniem lekarza nic nie wypił i był z siebie dumny. W poniedziałek zrobił badania i dowiedział się, że doktor Frank wyznaczył mu wizytę na środę o trzeciej po południu.

W środę w południe wszyscy razem pojechali w odwiedziny do znajomych. Piekli w ogrodzie kiełbaski, smażyli hamburgery. Było wino i piwo. W. czuł się już dużo lepiej i nabrał ochoty na zimne piwo. Jedno zimne piwo do gorącej parówki. Szanował jednak zakaz doktora Franka. O wpół do trzeciej poprosił Toma, żeby zostawił mu piwo w lodówce – „wypije, gdy wróci" – i pojechał do lekarza.

Doktor Frank był szczupłym, przystojnym mężczyzną lekko po czterdziestce. Bardzo sympatyczny, od razu nawiązali kontakt. Najpierw zapytał o sytuację w Polsce. W. wdał się w dość długie tłumaczenie. Lekarz słuchał z zainteresowaniem. Po chyba półgodzinie niewiążącej rozmowy nachylił się nad papierami leżącymi na biurku.

– Mam tu pańskie wyniki – powiedział. – Świetne. Jest pan bardzo zdrowy. Gratuluję.

– Czyżby? – ucieszył się z niedowierzaniem W.

– Tak. Wszystko w normie, a nawet lepiej niż u innych ludzi w pańskim wieku. Niebywałe. Szkoda tylko, że mniej więcej za dwa lata pan umrze.

– Jak to? Czemu?

– Nic specjalnego, wątroba. Wszystkie badania są w porządku, ale zrobiliśmy specjalny test na marskość wątroby. O tu, widzi pan? – Pokazał na jednym z papierów. – Norma jest od zera do czterdziestu, a pan ma sto dwanaście. W tym tempie to potrwa jeszcze około dwóch lat. Wątroby jeszcze nie przeszczepiają. A zresztą, gdyby nawet przeszczepiali, to zdaje się, że pan niedługo wraca do Polski, a tam chyba trudno znaleźć kogokolwiek ze zdrową wątrobą – zażartował.

W. nawet nie zastanawiał się nad stosownością tego żartu. Nie bardzo pamięta, co czuł. Może nic. Chyba rezygnację. Zdaje mu się, że przyjął słowa doktora Franka jako coś naturalnego, a nawet oczekiwanego.

– Trudno – powiedział. – Skoro tak, to chyba nic nie mogę zrobić.

– Niekoniecznie – uśmiechnął się doktor Frank. – Wątroba może sama się zregenerować. Tylko trzeba jej w tym pomóc.

W. przeczuwał coś nieprzyjemnego, ale jednocześnie poczuł, jak powraca doń chęć życia i wola walki.

– Mam pomysł – powiedział. – Ja bardzo lubię różne ostre przyprawy. Może nie powinienem ich jeść?

– Może pan jeść wszystko, absolutnie wszystko.

– To jak mam pomóc wątrobie?

– Przestać pić. Tylko tyle.

W wyobraźni zobaczył ogród Toma, ognisko, czekające na niego zimne piwo i poczuł, jakby tracił coś bardzo cennego.

– Co to znaczy „przestać pić"? – Nie dawał za wygraną. – Czy wystarczy nie pić tygodniami albo nie pić mocnego alkoholu? Bo chyba od czasu do czasu piwo mogę wypić.

– Pan wystarczająco dobrze zna angielski, by wiedzieć, co to znaczy „przestać pić". Przestać i kropka. Ale wybór należy do pana. Może pan nie przestawać i umrzeć. Moim obowiązkiem było tylko powiedzieć, jaki ma pan wybór. Bo przecież ja za pana nie przestanę pić. Jest pan dorosłym człowiekiem – powiedział doktor Frank, tym razem bardzo poważnym, a nawet stanowczym tonem.

– Dobrze, to ja się zastanowię – powiedział W. bardzo zmieszany, jakby został przyłapany na gorącym uczynku i skarcony. – A skoro już tu jestem, to może poproszę o radę ściśle medyczną. Mam trzy problemy: w nocy jest mi na przemian zimno i tak gorąco, że oblewa mnie pot, stale mi zimno w nogi, no i mam trudności z oddawaniem moczu. Czy może mi pan coś doradzić?

– Nie mogę. Limit stu dolarów za tę wizytę już wyczerpaliśmy. Za to powiem panu jedno. Jeśli pan wyjdzie stąd i przestanie pić, a po pół roku będzie pan nadal miał którąś z tych dolegliwości, proszę do mnie wrócić. Będę wtedy pana leczyć za darmo.

Uścisnął mu rękę. Odprowadzając go do wyjścia, dodał:

– Aha. Bardzo panu dziękuję za to, co pan mi opowiedział o Polsce. Jest pan bardzo mądrym i inteligentnym człowiekiem. Szkoda by pana było.

W. wyszedł na zalaną wiosennym słońcem ulicę. Najpierw poczuł strach. Ogromny strach. Chciał żyć. Szedł bezwiednie w stronę pomnika generała Waszyngtona, czując, jak bardzo chce żyć. Nagle wypełniła go ulga i wdzięczność dla doktora Franka.

Spojrzał na alkohol zupełnie inaczej. Często myślał o piciu, trudno było udawać, że w ogóle nie ma problemu. Ale zazwyczaj myślał o tym w kategoriach psychologicznych. Dlaczego pije? Czy rzeczywiście picie mu się opłaca, nawet jeśli jest wypoczynkiem i siłą napędową twórczości? Jaką motywację mógłby mieć zamiast alkoholu? Czasem myślał o swoim piciu w kategoriach moralnych, dobra i zła. Czy to aby na pewno źle, że pije? Czy nie krzywdzi innych, zwłaszcza matki, która tak bardzo się o niego martwi? Jak oczyścić się z konsekwencji pijackich wybryków? Zwykle jakoś sobie z tym wszystkim radził. Ale podświadomie czuł, że w dziedzinie psychologii i etyki ma doktoraty z oszukiwania samego siebie.

A teraz doktor Frank postawił cały problem na płaszczyźnie fizjologicznej. W. wiedział, że wątroby nie oszuka. Postanowił przestać na dobre. Postanowienia takie podejmował już wcześniej, ale nigdy nie miał tak jasnej i silnej motywacji, jak ta, której dostarczył mu doktor Frank.

Wstąpiła weń jakaś pogoda i determinacja. Gdy po powrocie na przyjęcie podziękował za piwo, Tom zapytał, czy jeszcze jest chory i co mu właściwie jest. W. powiedział o wątrobie i że już w ogóle nie będzie pić. Tom to zbagatelizował. Ewa słyszała takie zapewnienia wiele razy, więc i teraz puściła jego słowa mimo uszu.

Sam W. potraktował swoją obietnicę poważniej. Zazwyczaj, gdy po długim piciu obiecywał sobie, że nigdy więcej, że już mu wystarczy, myślał, że przy jego woli i pracowitości łatwo sobie poradzi. Tym razem czuł jednak, że czeka go ciężkie zadanie. Miał świeżo w pamięci zdarzenie sprzed tygodnia, gdy wychodził z ostatniego siedemnastodniowego ciągu. W środę miał pojechać do Nowego Jorku po rodzinę, która przylatywała z Warszawy. Wyhamował w niedzielę. W poniedziałek posprzątał, zrobił zakupy, wcześnie poszedł spać. W nocy nie zmrużył oka. Dostał kurczów żołądka, tak jakby nagle powstawały mu jakieś gule w brzuchu i dusiły go od środka. Próbował wymiotować i nie mógł; inna gula dusiła go w krtani. Godzinami stał nad sedesem, próbując oddać mocz, który palił go od wewnątrz, i nie mógł. W pewnym momencie zakrztusił się własną krwią, którą poczuł w gardle. Stoczył się z łóżka na podłogę. Już tego dokładnie nie pamięta, ale zdaje mu się, że zawołał „Boże, oszczędź mnie" albo coś podobnego. Wypluł krew i przeleżał kilka godzin pod umywalką w łazience. Potem wrócił na łóżko.

Rano przyjechała Irena, która miała go zawieźć na lotnisko. Spojrzała na W. i zawiozła go do szpitala. Tam położyli go pod kroplówką. Po dwóch godzinach zaczęły mu wracać siły. Nieco później – świadomość. Przez następne trzy godziny rozmyślał. Dlaczego nie potrafił przerwać? Jak to się stało, że w ogóle wpadł w ten ciąg? To przecież nie było po zakończonej pracy. Nie istniały też żadne inne powody. Miał już pracę, pieniądze, propozycję badań naukowych, kontrakt na książkę, a na dodatek kończyła się jego samotność. A jednak wpadł i nie mógł wyhamować. Gdy po sześciu godzinach wychodził z detoksu, lekarz dyżurny powiedział: „Wie pan, my możemy tylko panu pomóc wrócić do siebie. Ale jeśli ma pan problem z alkoholem, to detoks może nie wystarczyć. Niech pan poszuka pomocy tam, gdzie ją można dostać. Najbardziej skuteczne jest AA". W. nawet nie protestował. Wiedział, że lekarz ma rację, że jego głównym problemem nie jest samotność ani zmęczenie, lecz alkohol. Postanowił dać za wygraną i spróbować w ogóle nie pić.

Następnego dnia spotkał się z Ewą i dziewczynkami w Nowym Jorku. Byli szczęśliwi. Ewa przywiozła mu z Polski butelkę jego ulubionej wiśniówki. Po godzinie był znowu pijany.

Dziś W. uważa, że było to najważniejsze upicie się w jego życiu. Nastąpiło tak szybko po koszmarnej nocy, detoksie i ostatniej przysiędze, że nie sposób było nie dostrzec, iż nie ma wystarczająco silnej woli, by samemu sobie poradzić. Właśnie dlatego po wyjściu od doktora Franka postanowił poprosić o pomoc. Tak trafił do Jima, a później na Farmę.

Susan wysłuchała wszystkiego cierpliwie, od czasu do czasu notując jakiś szczegół. Gdy skończył, zapytała, czy rzeczywiście chce przestać pić na dobre. Powiedział, że wolałby nauczyć się pić jak ludzie, nie wpadać w ciągi i nie upijać się.

– A gdyby to było niemożliwe, czy byłbyś gotów przestać pić na zawsze?

– Chyba tak, choć trudno mi teraz powiedzieć, jak będzie w przyszłości. Dziś myślę, że tak.

– Czego będzie ci brakowało, jeżeli wyrzekniesz się alkoholu? Czego będziesz najbardziej żałował?

Dłuższą chwilę myślał, jakby przypominając sobie wszystkie pijaństwa. Sam się zdziwił, gdy uświadomił sobie, że kaców. Susan też to zdziwiło, później powiedziała mu, że była to jedyna tego rodzaju odpowiedź w historii Farmy.

Ale tak było naprawdę. Wiązało się to z jego twórczością. W. pisywał książki historyczne, reportaże, eseje, rozmowy ze sławnymi ludźmi. Ale tak naprawdę marzył o tym, by napisać powieść. Albo opowiadanie. Prozę literacką, którą uważał za prawdziwą twórczość, w odróżnieniu od całej wtórnej reszty. Zresztą jeden z jego przyjaciół, sam znany pisarz, mawiał, że to, co W. pisuje, jest bardzo dobre, ale są to kompilacje. W. nigdy nie miał jednak odwagi napisać powieści lub choćby opowiadania, które otworzyłoby mu drzwi do prawdziwej literatury. Bardzo z tego powodu cierpiał. I tylko niekiedy, właśnie na kacu, puszczały tamy jego wyobraźni i kreatywności. Przychodziły mu do głowy całe, już ukończone, opowiadania i powieści. Niekiedy widział je już wydrukowane, oprawione i czytał je w pijackim półśnie, przewracając kartkę po kartce. Kiedy indziej wyobrażał sobie rękopisy, a czasem sam tylko niezmaterializowany strumień świadomości. Jedne pamiętał, inne od razu zapominał. Najczęściej były to surrealistyczne opowiadania z zaskakującą puentą. Czasami te kacopowieści albo literackie happeningi wydawały mu się warte całego koszmaru, związanego z długotrwałym pijaństwem. I choć zdarzały się rzadko, raz na wiele kaców, to zastanawiając się nad pytaniem Susan, nie miał wątpliwości, że takie właśnie kace były dlań więcej warte niż luz po wypiciu, panienki, towarzystwo czy nawet napęd do pracy, jaki dawał mu alkohol.

Susan nie skomentowała jego upodobania do kaców. Raz jeszcze przejrzała notatki i na kartce zapisała jego wstępne zadanie: „Zrób na piśmie «pierwszy krok» i przekonaj grupę, że jesteś bezsilny wobec alkoholu, i to jeszcze zanim wypijesz pierwszy kieliszek. Ponadto poproś ich o pomoc w sprawie K.I.S.S.".

W. nie rozumiał zadania. Wiedział, że „pierwszy krok" programu AA brzmi: „Przyznaliśmy, że jesteśmy bezsilni wobec alkoholu, że przestaliśmy kierować własnym życiem". Owszem, zgadzał się, że za dużo pije, ale nie bardzo wiedział, co to znaczy być bezsilnym przed wypiciem pierwszego kieliszka. Susan powiedziała, żeby poprosił grupę o wytłumaczenie zadania. Wyjaśniła mu natomiast znaczenie K.I.S.S.

Keep it simple stupid znaczy, by zanadto nie komplikować spraw, nie myśleć w zbyt zawiły sposób o swoich problemach. Krótko mówiąc, Susan zwróciła mu uwagę na niebezpieczeństwo nadmiernej intelektualizacji skądinąd prostych problemów. Miał mniej myśleć, mniej się wysilać, by wszystko zrozumieć. Trudno mu się było z tym pogodzić, bo uważał właśnie rozumienie za klucz do szczęścia. Na swój użytek przetłumaczył K.I.S.S. na polskie, równie prymitywne „Bez filozofania", jak mawiał do studentów jeden z oficerów podczas zajęć wojskowych.

Wyszedł od Susan bardzo znużony i znów się przespał. Wieczorny wykład poprowadziła Linda, terapeutka jego grupy. Tematem był mechanizm zaprzeczeń, czyli minimalizowanie skutków picia, szukanie powodów i usprawiedliwień dla picia oraz obwinianie innych. Z tym że Linda nie teoretyzowała, lecz opowiadała o swoim życiu, i zrobiła to we wstrząsający sposób. W. dowiedział się, że Linda, podobnie jak niemal cała reszta personelu Farmy, sama jest alkoholiczką, niepijącą od dwunastu lat. Po tym wykładzie wydała mu się bliższa i przestał się jej bać.

Potem Ken pożegnał się ze społecznością, a później ze swoją grupą. Skończył kurację i nazajutrz rano wracał do domu. W. od pierwszej chwili zwrócił na niego uwagę, zwłaszcza na jego oczy i sposób mówienia. Ken wydawał mu się jakiś uduchowiony, ale jednocześnie, a może właśnie dlatego, trochę dla W. niedostępny, nawet odpychający. Na pożegnanie Ken powiedział mu, że nie wie, czy W. jest alkoholikiem, ale jeśli tak, to jest jedynym znanym mu alkoholikiem, który potrafił przestać pić na zamówienie, z góry planując, kiedy to się stanie.

W. ucieszył się, bo w istocie niedawno odezwała się w nim nadzieja, że może jednak nie jest alkoholikiem. Zastanowiło go natomiast, że w głosie i wyrazie twarzy Kena nie było radości, ale życzliwa troska.

Tego wieczoru ani nazajutrz nic nie zapisał w dzienniku.

DZIEŃ CZWARTY, SOBOTA

Wstał o czwartej rano i zaczął robić korektę. Po śniadaniu zdrzemnął się przez pięć minut, a później poszedł na medytacje. Nadal czuł się tam obco, ale to mu nie przeszkadzało, bo był jakiś nieobecny, zawieszony między Polską, skąd przyszła korekta, a tematem poprawianej książki.

Soboty i niedziele były na Farmie inne niż dni powszednie. Dyżurował tylko jeden terapeuta, zamiast wykładów pokazywano filmy, z miasta przyjeżdżali na spotkania anonimowi alkoholicy. W soboty rano odbywało się tak zwane odliczanie do warsztatów. Najpierw podawano temat, który tego dnia brzmiał: „Jak sobie radzę ze złością?". Później wszyscy stawali w kręgu i odliczano do sześciu. Jedynki szły do jednej sali, dwójki do innej, i tak dalej; w sumie powstawało sześć dziesięcioosobowych grup innych niż grupy terapeutyczne czy kontrolne. W każdej grupie wybierano sprawozdawcę; W. został nim w swojej. Pochlebiło mu, że inni docenili jego skłonność do systematyczności i analityczny umysł.

Najpierw zapisywał w zeszycie czarnym długopisem to, co inni mówili o złości. W najczęściej chaotycznych wypowiedziach wszystko się mieszało: przyczyny złości, jej przejawy i to, co z nią lub pod jej wpływem robili i co chcieliby robić. W. porządkował czarnym długopisem te opinie, zapisując jednocześnie po prawej stronie na niebiesko swoje własne przeżycia i myśli związane ze złością. Z wypowiedzi innych wynikało, że ludzie robili pod jej wpływem różne rzeczy. Jedni krzywdzili samych siebie, inni wybuchali, jeszcze inni podejmowali ryzyko, na przykład jeździli bardzo szybko samochodem, skakali ze spadochronem lub latali na lotni. Najczęściej jednak chowali złość w sobie, zwłaszcza jeśli w dzieciństwie byli za nią karceni. Odtąd uważali za „złe" uczucie, którego nie powinno się mieć. To zresztą było najgorsze, bo ta schowana złość dławiła ich i syciła marzenia o zemście. Albo wychodziła bokiem w postaci sarkazmu, złośliwych uwag, ironii, poczucia wyższości. Niewyrażona złość była też najbardziej dolegliwym uczuciem dla obecnych. Niemal wszyscy woleli emocjonalny wybuch partnera od obrażenia się, odmowy seksu czy milczenia. Po eksplozji następowało uspokojenie, a często poczucie winy u tego, kto dał się ponieść emocjom. W. zauważył, że większość ludzi miała poczucie winy nie tyle z powodu samej złości, ile z powodu niewłaściwego sposobu jej wyrażania.

W. zastanowił się nad własną złością. To było dość proste. Gdy nie pił, chował ją w sobie. Gdy zebrało się jej za wiele, pił. Kiedy się napił, stawał się agresywny. Najpierw werbalnie, później fizycznie. Ale bił się nie tylko wtedy, kiedy był zły. Bił się bardzo często, gdy był pijany. Najpierw chciał zaimponować siłą starszym kolegom. Później po prostu się bił, ale coraz częściej obrywał. Jeszcze rok temu w SPATiF-ie wyzwał na pięści starszego od siebie poetę, którego uważał za zaprzedanego. Tak nudził, że ten wreszcie wyszedł z nim do bramy i stłukł pijanego W. na kwaśne jabłko.

W. przedstawił sprawozdanie z warsztatów na spotkaniu całej społeczności. Wydawało mu się najbardziej systematyczne z wszystkich grup. Miał lekki żal, że nikt nie zwrócił na to uwagi.

O siódmej wieczorem był mityng Anonimowych Alkoholików. Dwie osoby, które za kilka dni kończyły kurację, opowiadały swoje długie historie picia i krótkie – trzeźwienia. Ich szczerość była dla W. wstrząsająca; nigdy jeszcze nie słyszał, by ktoś tak szczegółowo opowiadał o swych najbardziej intymnych sprawach. Pod wpływem tego spotkania W. zwołał zebranie grupy. Postanowił opowiedzieć o swojej bezsilności wobec alkoholu. Jak pił piwo po szkole, a później, od dziewiątej klasy, we wtorki i czwartki wino ze starszymi kolegami. O piciu na studiach i częstym piciu podczas pierwszej pracy. O tym, jak się tego wystraszył i zaczął robić w piciu przerwy, wypełnione pracą. Zawsze myślał, że w ten sposób panuje nad alkoholem, ale tu zaczął się przekonywać, że to nie było całkiem tak. Uświadomił sobie, że zaczynał pić nie tylko wtedy, gdy skończył pisanie. Czasem w trakcie pracy, ni stąd ni zowąd, też sięgał po butelkę. Zdarzało się, że nie kończył rozpoczętej książki czy artykułu. Zaczynał z zamiarem wypicia kilku piw, a później kończyło się na kilkudniowym lub dłuższym pijaństwie. Zwłaszcza ostatnio, już w Ameryce.

Przyjechał tu pod koniec września poprzedniego roku. Miał zaproszenie, by wykładać przez rok na jednym z uniwersytetów. Gdy pojawił się u rektora, ten bardzo się zdziwił i zapytał, czy naprawdę W. przyjechał na wykłady. Zaskoczony pytaniem W. potwierdził. Wówczas jeszcze bardziej zdumiony rektor wyraził żal, że tego nie przewidział i nie ma pieniędzy na posadę dla W. Obiecał, że teraz zacznie je zbierać, ale to potrwa, i zapytał, czy W. mógłby zamieszkać na czas oczekiwania u wspólnych znajomych, Ala i Heidi. Al był bardzo poczytnym i zamożnym autorem, którego książki W. kiedyś tłumaczył na polski. Rektor zasugerował więc, by W. poprosił go o pomoc w zebraniu potrzebnej kwoty albo o to, aby Al sam wpłacił jej część. W. nie wierzył własnym uszom. W końcu ten człowiek sam przed dwoma laty zaprosił go na wykłady. Kilka miesięcy wcześniej wysłał mu oficjalne zaproszenie, na podstawie którego W. dostał paszport i wizę. A teraz jest zaskoczony, że przyjechał. Jego gospodarze też nie mogli tego zrozumieć. Kładli wszystko na karb pijaństwa i bałaganiarstwa rektora. Oczywiście pozwolili W. zatrzymać się u siebie, zwłaszcza że sami wkrótce wyjeżdżali na kilka tygodni do Europy.

Zamieszkał w Nowym Jorku i czekał. Rektor kręcił, oczekiwał na powrót Ala, bo liczył, że kiedy znuży się gościem, wtedy sam da uniwersytetowi pieniądze. W. czuł się oszukany i niepotrzebny, bez zajęcia, bez pieniędzy, bez perspektyw. Na pocieszenie został mu obficie zaopatrzony bar w mieszkaniu gospodarzy, którzy sami nie pili, ale trzymali alkohol dla gości i na przyjęcia. W. korzystał z niego obficie, zwłaszcza wieczorami i w nocy. Chociaż trochę obawiał się, że przyjaciele wykryją ubytek alkoholu, samym piciem się nie przejmował, bo któż by nie pił w jego położeniu?

W listopadzie sytuacja się wyjaśniła. Al dał połowę potrzebnej sumy, a rektor znalazł kogoś, kto wpłacił drugą. W. zamieszkał w Waszyngtonie, w domu zostawionym mu przez dalekich znajomych, którzy pojechali na miesiąc do Anglii. Nie pił, przygotowywał wykłady, porządkował życie i różne sprawy zawodowe. Pracował nad konspektem książki. Dom był duży, a że W. nie lubił samotności, na święta zaprosił swoją siostrę z dziećmi z Londynu. Siostra lubiła wypić wieczorem drinka i nie wypadało odmówić jej towarzystwa. Dwa czy trzy dni pił kulturalnie, o czym zawsze marzył, ale któregoś wieczoru wypił całą butelkę. Potem drugą, trzecią. Przestał kontaktować, rodzinne święta zamieniły się w piekło. Nie otrzeźwiał, by odwieźć siostrę na lotnisko, nie zdążył też wyprowadzić się na czas ani posprzątać przed powrotem gospodarzy. Miał żal do siostry, że wytrąciła go z równowagi, do której ledwie co doszedł.

Postanowił nie pić w ogóle. Już pod koniec lutego wszystko ułożyło mu się świetnie. Rozpoczął wykłady, amerykański wydawca podpisał z nim umowę na książkę, prestiżowy uniwersytet zamówił u niego konspekt innych wykładów. I właśnie wtedy znowu zaczął pić. Nie mógł tego zrozumieć, bo przecież tym razem nie miał żadnego powodu.

W. mówił też o tym, dlaczego pił. O dość smutnym dzieciństwie, wypełnionym obowiązkami domowymi, strachem i biciem przez ojca. O poczuciu odrzucenia – w rodzinie, w szkole, na podwórku. O nieudanych miłościach i o swojej samotności. O dramatycznej walce o to, by będąc dziennikarzem i pisarzem w komunistycznym kraju, pisać to, w co wierzył, nie zaprzedając się i nie kłamiąc. Wcześniej chyba tylko raz lub dwa razy mówił komukolwiek o sobie równie szczerze. Płakał. Płakały również Karen, Liz i Helena, a kilku mężczyzn też miało łzy w oczach. Gdy przyszła pora na ich reakcje, zwane tu „zwrotami", przeważnie wyrażali współczucie. Pocieszali W., mówiąc, że sami mieli podobne przeżycia, ale jakoś próbują to przezwyciężyć.

Tylko Mark nie płakał. Był nowy, przyjechał na Farmę przed dwoma dniami. Już od połowy opowieści W. patrzył spode łba i miał jakieś złe błyski w oczach. W końcu spytał ze złością:

– Co ty tu właściwie robisz? Przecież w twojej opowieści nie ma żadnej bezsilności. Tylko dążenie do kontroli wszystkiego i wszystkich, łącznie z piciem. Zwalasz na innych albo litujesz się nad sobą. Jak nie rektor, to siostra, jak nie siostra, to ustrój, ciężkie dzieciństwo i podobne wykręty. To inni są źli, niewrażliwi, to oni są winni twego picia i gdyby nie oni, sam świetnie byś sobie ze wszystkim poradził – z alkoholem, z ludźmi, z życiem. Więc zjeżdżaj stąd. Ty tu niczego się nie dowiesz, bo już wszystko wiesz. Szkoda twojego i naszego czasu.

Później W. mawiał, że po to, by poznać samego siebie, potrzebuje przynajmniej dziesięciu osób, bo siebie i osiem innych potrafi do wszystkiego przekonać albo wziąć na litość. A wśród dziesięciu znajdzie się jakiś Mark, który nie podda się jego elokwencji.

Ale na razie był wściekły na Marka. Co on tam wie! Dopiero przyszedł i się mądrzy. Pobędzie kilka dni, to zobaczy, jakie to wszystko skomplikowane. Jednakże słowa Marka wywarły wrażenie na zebranych. Jakby zaczęli się budzić ze spektaklu, który W. odegrał. I dostrzegli, że w opowieści W. nie było najważniejszego elementu: tego, w jaki sposób alkohol utrudniał mu realizację jego zamierzeń. Uczestnicy grupy poocierali łzy i kazali mu udowodnić na piśmie, że jest bezsilny wobec alkoholu i nigdy nie był zdolny kierować własnym życiem. Poprzez łzy, złość i zawstydzenie do świadomości W. zaczęła przebijać myśl, że czeka go tu ciężka praca.

Najpierw jednak musiał pozbyć się ciężaru, jaki stanowiła niedokończona korekta. Robił ją przez całą niedzielę i poniedziałek, z przerwami na drzemki, zajęcia i spotkania grupy.

W poniedziałek dostał również przydział pracy: od 10.15 do 12.45 miał pracować w kuchni przy przygotowywaniu obiadu, nakrywaniu stołów, a po obiedzie przy taśmie, na której trzeba było ustawiać naczynia idące do zmywarki, a później odbierać je i ustawiać na stołach. Ann wyjaśniła mu, że przydzielono mu to zajęcie, bo wymagało współpracy z innymi pacjentami, dzięki czemu W. miał przełamać skłonność do izolowania się od ludzi i samotności.

W. długo o tym myślał. Owszem, miewał poczucie samotności, ale nie widział w tym swojej winy. W większości ludzie nie byli na jego poziomie albo nie bardzo chcieli się z nim zadawać. A oni mu teraz mówią o skłonności do izolowania się jak o jego własnym wyborze. Przypomniał sobie pierwszą wielką miłość. Miał wtedy dwadzieścia lat, był za granicą i zakochał się do szaleństwa w starszej o kilka lat mężatce. Wrócił do niej po kilku tygodniach i uczucie, tym razem już spełnione, jeszcze bardziej się nasiliło. Potem pisał romantyczne, pełne tęsknoty i cierpienia listy. Aż wreszcie ona odpisała, że też go kocha oraz że zdecydowała się rozwieść i związać z W. Nie odpowiedział na ten list. Zamilkł. Pogrzebał tę miłość w alkoholu i przelotnych miłostkach. Z czasem całkiem o niej zapomniał. I teraz nagle stanęła mu przed oczami. Zanotował w dzienniku:

Czy to nie ja sam skazałem się na samotność?

Ponieważ robił ukradkiem korektę, na zajęciach był obecny tylko ciałem.

DZIEŃ SIÓDMY, WTOREK

Nad ranem obudziły go bolesne kurcze w prawej nodze. Masował ją, prostował, zginał, starając się przy tym za bardzo nie jęczeć, by nie obudzić Dole'a.

Poranny wykład miał Rob, terapeuta w średnim wieku. Tematem było poczucie winy alkoholików. W. zamierzał posiedzieć kilka minut, a później wyjść, żeby zdrzemnąć się, bo jego to nie dotyczyło. On pił w nagrodę, nie tylko nigdy nie ukrywał picia, ale nawet zapowiadał, że będzie pić, więc nie miewał poczucia winy. Rob zaczął od tego, że zapewne wielu myśli, że ten temat ich nie dotyczy, bo nie czuli się winni. Ale nie zamierzał mówić o poczuciu winy za konkretne zachowania, lecz o nieokreślonym uczuciu, które przepełnia każdego uzależnionego. „Jeśli chcecie wiedzieć, o czym będę mówić, to przypomnijcie sobie, ile razy posprzątaliście dom, pozmywaliście naczynia lub skopaliście ogródek, nie z wewnętrznej potrzeby, ale po to, by domownicy: rodzice, mąż, żona przestali się gniewać lub żeby lepiej o was myśleli". W. natychmiast przypomniał sobie szorowane podłogi, zmywane naczynia, setki dobrych uczynków wyświadczanych innym po to, by dobrze o nim myśleli. Gdy tylko W. uświadomił sobie, że jednak picie nie spływało po nim jak po kaczce, nie powodując wyrzutów sumienia, Rob powiedział, że poczucie winy, o którym mówi, cechuje wszystkich alkoholików, ale nie jest rezultatem picia. Wypływa przede wszystkim z niskiego poczucia własnej wartości. W. tego nie zrozumiał, bo co jak co, ale siebie samego cenił. Nie rozumiał też wieczornego wykładu, właśnie o poczuciu wartości. Ale wieczorem był tak bardzo pogrążony w depresji, że nie mógł niczego zrozumieć.

Najpierw, podczas obiadu, nagle naskoczył na Davida, gdy ten wziął z talerza ostatnią kanapkę z krewetkami, na którą W. też miał ochotę. Gwałtowność wybuchu, zupełnie niewspółmierna do przyczyny, bo przecież na talerzu pozostało jeszcze wiele innych kanapek, przestraszyła W. Nie potrafił jednak przeprosić, tylko zamilkł w złości. Na to David powiedział, że go rozumie, bo tutaj wychodzą z alkoholików tłumione przez całe życie emocje, takie właśnie jak złość czy strach, i byle bodziec może je uwolnić. W. dalej milczał, choć słowa Davida tylko spotęgowały jego wściekłość.

Po południu dostał od Ann kopertę z diagnozą, opracowaną przez Susan i zaaprobowaną przez cały personel terapeutyczny. Najpierw opisano krótką historię W., obejmującą głównie jego pijaństwa, problemy, jakie miał z tego powodu, oraz to, co sprowadziło go na Farmę. Potem następował siedmiopunktowy plan leczenia. Personel uznał, że W. musi przede wszystkim zdobyć doświadczenie w relacjach z innymi ludźmi. Powinien w tym celu rozmawiać z pacjentami – i to w jak najprostszy sposób – o swoich uczuciach. Powinien mówić o tym, co czuje, gdy myśli o swoim dzieciństwie. W. uważa, iż okazywanie uczuć jest przejawem słabości, a jednocześnie ilekroć próbował kierować się w życiu wyłącznie intelektem, zawsze powracał do picia. Natychmiast po otrzymaniu planu leczenia W. powinien poprosić swoją grupę terapeutyczną o pomoc przy „pierwszym kroku". „Ma on niesamowite poczucie samokontroli i będzie potrzebował ogromnej pomocy od społeczności przy uznaniu swej bezsilności wobec uzależnienia oraz akceptacji faktu, że po to, aby wytrzeźwieć, potrzebuje pomocy innych". Personel sugerował, by W. zaczął pracę nad bezsilnością od uświadomienia sobie, że już od dziewiętnastu lat bezskutecznie próbował przestać pić. Powinien także zebrać konkretne przykłady braku kontroli nad własnym życiem, i to już od osiemnastego roku życia.

W innym punkcie planu leczenia była mowa o tym, że W. „ma w sobie wiele wstydu i poczucia winy oraz uważa, że jest bardzo złym człowiekiem, ponieważ pije. Musi prosić grupę o pomoc w zrozumieniu alkoholizmu jako choroby, i to aż do chwili, gdy ją rzeczywiście zaakceptuje. Na razie bowiem W. koncentruje się raczej na tym, by nie pić, aniżeli na swoim uzależnieniu".

Czytając to, W. czuł narastający niepokój. Miał poczucie krzywdy. Jak Susan mogła ograniczyć się tylko do jego picia, jakby w jego życiu nie było niczego innego? W ogóle nie wspomniała o jego twórczości i dokonaniach. Dostrzegł błąd faktyczny: on przecież ma doktorat z socjologii, a ona napisała, że z psychologii. Może będąc stażystką, Susan ma w ogóle słabe pojęcie o terapii; przecież W. mówił jej wyraźnie, że nie ma poczucia winy z powodu picia. Poza tym nie rozumiał, czemu ma rozmawiać o swoich uczuciach. I co ma jego dzieciństwo do pijaństwa, które zaczęło się później?

Ale najbardziej rozwścieczyło go zakończenie diagnozy. „Obecnie W. przyznaje się do alkoholizmu czysto werbalnie. Jego motywacja do leczenia ogranicza się do jednego problemu, czyli zdrowia. Jego wgląd w siebie jest całkowicie zablokowany przez MORALIZM, POCZUCIE MOCY ORAZ SKŁONNOŚĆ DO INTELEKTUALIZACJI".

Na dodatek miał chodzić z tym stekiem bzdur po dziedzińcu i saloniku, pokazywać diagnozę innym pacjentom i zebrać na odwrocie przynajmniej piętnaście podpisów ludzi, którzy ją przeczytali.

W. poczuł szum w głowie, dudnienie w piersi i ssanie w brzuchu. Jak to czysto werbalna motywacja do leczenia? Przecież tu przyjechałem, mimo że wcale nie musiałem. Jak to nie mam wglądu w siebie? To śmieszne – myślał. Poszedł do swego pokoju, zdjął w górnej półki walizkę i zaczął się pakować. Robił to machinalnie, z tępą determinacją, nie chcąc o niczym myśleć. Jakby przeczuwał, że może coś stracić, ale nie chciał tu dłużej zostać.

Wrócił Dole. „Co, dostałeś diagnozę?" – bardziej stwierdził, niż zapytał. „Ja też chciałem wtedy wyjechać, jak niemal każdy. Ale mnie nie puścili. Dziś nie żałuję". Po czym zaczął układać w szafie porozrzucane po łóżku rzeczy W. „Przyjechałem w skorupie, w której czułem się bezpiecznie, a tu kazali mi ją rozbić. Kto by się tego nie bał?" – dodał Dole.

W. uświadomił sobie, że mieszka z Dole'em już tydzień, ale niczego o sobie nie wiedzą. Zrezygnowany wyszedł z pokoju. Poszedł na taras. Było chłodno. Wszedł do zadymionego saloniku. Chciał rozmawiać, ale jednocześnie jakaś wewnętrzna siła odpychała go od ludzi. Teraz wiedział, jak to się nazywa. Skorupa. Może rzeczywiście trzeba ją rozbić?

DZIEŃ ÓSMY, ŚRODA

Nie wstał na śniadanie. Z tego powodu miał wyrzuty sumienia i jednocześnie złościł się na siebie o te wyrzuty. Podczas porannego zebrania społeczności W., z największym trudem przezwyciężając siebie, podniósł się z krzesła i powiedział: „Mam na imię W. i jestem alkoholikiem. Wczoraj dostałem diagnozę i plan leczenia. Dzisiaj się boję". Usłyszał ciche brawa.

Potem był film na temat alkoholizmu jako choroby całej rodziny. Ukazywał role, jakie odgrywają członkowie rodziny alkoholika: współuzależniony małżonek i dzieci. Każde kolejne dziecko ma inną rolę do odegrania. Najczęściej drugie jest kozłem ofiarnym dla alkoholizmu ojca bądź matki, a najmłodsze – dla którego nie ma już żadnej roli – nazywa się „niewidzialnym dzieckiem". W. nie myślał jednak o sobie, choć był najmłodszym z trójki. Zastanowiła go rola pierwszego dziecka, zwanego „bohaterem rodziny". To ten, który opiekuje się rodziną, podczas gdy ojciec pije, a matka zajmuje się przede wszystkim pijącym ojcem. „Bohater rodziny" szybko dojrzewa, sam najczęściej nie pije, jest nadodpowiedzialny, zostaje człowiekiem sukcesu. Ale wszystko to opłaca brakiem własnego dzieciństwa i niezdolnością do okazywania uczuć. Cenę za ten chłód emocjonalny płacą z kolei dzieci takiego „bohatera", wiele z nich wpada w alkoholizm.

Tym W. się zainteresował. Znał ogólnikowe opowieści na temat dziadka ze strony ojca. Podobno był wspaniałym gawędziarzem. W czasach sprzed kina i telewizji siedział całymi dniami na bujanym fotelu i snuł opowieści ludziom, którzy przynosili mu coś do picia. Jego najstarszym synem był ojciec W., który sam niemal nigdy nie pił, bał się alkoholu jak ognia, od dziecka był odpowiedzialny za całą rodzinę, a jednocześnie nie potrafił okazywać uczuć. W. nie pamiętał, by ojciec kiedykolwiek wziął go na kolana, przytulił bądź powiedział, że go kocha. Tylko wtedy, kiedy W. chorował, ojciec stawał się mniej wymagający i okazywał trochę ciepła. Pomyślał, że jeśli zależność przedstawiona w filmie jest uniwersalna, to ma powody, żeby być alkoholikiem. Pomyślał też, że jeśli on się wyleczy, to Ewa koniecznie też będzie musiała się zmienić, bo inaczej cała rodzina nadal będzie zaburzona.

Po wykładzie rozmawiał na ten temat z Ann. Uzgodnili, że znajdującą się w planie leczenia sesję rodzinną W. odbędzie z Ewą przez telefon. Chciał, żeby usłyszała od kogoś stąd, że sama też będzie musiała pójść do Al-Anon, czyli identycznej wspólnoty co AA, ale przeznaczonej dla osób bliskich alkoholikom. A także o tym, że w ogóle będzie musiała dostosować się do potrzeb trzeźwienia W. Poza tym Ewa powinna dowiedzieć się, czy w Polsce istnieje AA, bez którego podobno nie sposób zachować zdobywanej na Farmie trzeźwości. W. podzielił się również z Ann postanowieniem przebicia się przez skorupę, w jakiej tkwi.

Po obiedzie było spotkanie grupy terapeutycznej z Lindą. Na samym początku Bill miał trudności z wysłowieniem się i W. pospieszył mu z pomocą, wyrażając dość jasno jego myśl. Linda zareagowała na to bardzo ostro, mówiąc: „Jak w ogóle śmiesz mówić, co ktoś inny miał na myśli!". W. nie zrozumiał tej złości, często pomagał innym się wysławiać i przeważnie spotykały go pochwały za przenikliwość i precyzję myślenia. Ale Linda od razu przeszła do W. i jego poczucia kontroli. Przytoczyła trzy cytaty z diagnozy: że W. może przestać pić, kiedy siada do pracy, że może wytrzeźwieć na życzenie i że będzie mu brak kaców. Zapytała, czy już dowiedział się, kim jest. Nie dowiedział się, bo niby jak miał się dowiedzieć. „Pytaj grupę" – poradziła Linda. Gdy obiecał, że zapyta, zniecierpliwiona rozkazała: „Teraz pytaj! Tutaj!".

W. zwrócił się do Jacka z pytaniem, kim jest? „Nic o tobie nie wiem" – odpowiedział Jack. Podobnie Bill i Laura. Tylko Mark i Rick powiedzieli, że chociaż oni też niczego o W. nie wiedzą, to dzisiaj, po raz pierwszy, zauważyli u niego odrobinę pokory.

Wieczorem był wykład na temat poczucia mocy. Mówca najpierw przedstawił jego przejawy – od kontroli do izolacji. Następnie zajął się uczuciami, jakie towarzyszą władzy i kontroli. Były to wyłącznie nieprzyjemne uczucia, takie jak strach, złość lub samotność. Ten, kto ma władzę, jest jakby ponad wszystkimi, stąd samotność. Kto nie ma władzy, jest razem z innymi. A siła wspólnoty zawsze jest większa niż jednostki. W. przypomniał sobie wiersz Majakowskiego o tym, że jednostka jest niczym, i pomyślał z lękiem, w co oni się tu pakują. Z jeszcze większym zdumieniem przyjął twierdzenie, że jedyną rzeczą, nad którą naprawdę mamy kontrolę, jest to, w jaki sposób wyrażamy nasze emocje. Zawsze sądził, że człowiek może uzyskać panowanie nad światem zewnętrznym, ale nie nad własnymi emocjami, które przychodzą w sposób niekontrolowany.

Po wykładzie znalazł miejsce przy stole odsuniętym od reszty i zaczął się zastanawiać, co się tu właściwie dzieje. Trzeba uwierzyć, że całe dotychczasowe życie było koszmarne i niewiele warte. Na tym polega bezsilność i brak kontroli nad własnym życiem. Ale cały ten koszmar to skutek choroby. By wyzdrowieć, trzeba uwierzyć, że własne życie jest wartością i na tej podstawie zacząć budować swoją tożsamość.

W. zapisał rzucające mu się w oczy różnice między światem zewnętrznym a tym na Farmie. Dotyczyły przede wszystkim przekonań i wartości. Zapisał je w dwu rubrykach. W świecie uczą, że człowiek powinien być silny, niezależny i zwiększać swoją kontrolę nad otoczeniem. Tu władza i dążenie do kontroli są traktowane jako źródło negatywnych emocji. Tam silna wola jest zaletą, tutaj – wadą. Tam trzeba kontrolować i powściągać uczucia, tu każą je przeżywać i wyrażać. Tam ukrywa się słabości, a tu się je odsłania. Tam należy kierować się rozumem, tutaj mówią, by iść za głosem sumienia i intuicji, bo rozum może cię oszukać. Tam tożsamość człowieka określa przede wszystkim jego rola społeczna, tutaj – cechy charakteru, postawy i zachowania. Tam życie musi mieć jakiś cel zewnętrzny; żyje się dla kogoś, dla jakiegoś celu. Tutaj cel ma charakter wewnętrzny; żyje się dla siebie, bo warto. Zewnętrzny charakter mają tam także różne normy i nakazy; należy ich przestrzegać, bo wymaga tego porządek społeczny bądź dobro innych. Tu mówią, by żyć w zgodzie z normami moralnymi oraz normami życia duchowego (W. usłyszał to pojęcie po raz pierwszy i nie wiedział, co to jest), bo one są ważne dla samego człowieka; łamiąc je, stajemy się nieszczęśliwi. Tam trzeba planować, przewidywać, troszczyć się o przyszłość. Tu uczą, by żyć tylko dniem dzisiejszym, nie zamęczając się wspomnieniami z przeszłości ani nie martwiąc się o przyszłość. W. dodał jeszcze, że tam już w dzieciństwie wpajają wzory, które tu oceniają jako destruktywne: bądź ambitny, zwiększaj kontrolę, bądź mężczyzną, nie bądź płaksą.

Pomyślał jeszcze, że alkoholizm to bardzo odporny wirus, który pasożytuje na nieuczciwości i – przede wszystkim – na emocjach. Przypomniał sobie, jak jego przyjaciel powiedział kiedyś, że W. musi cierpieć. Teraz zrozumiał dlaczego. Będąc alkoholikiem, musiał pić. Ale przecież nie lubił smaku alkoholu. Musiał więc cierpieć, by mimo niechęci pić alkohol, bo stał się lekarstwem na jego cierpienie. Musiał też użalać się nad sobą, bo w ten sposób znajdował usprawiedliwienie dla „zażywania" lekarstwa.

W dzienniku zapisał ponownie to samo, co kilka dni wcześniej skreślił:

Alkoholizm to rak duszy.

W nocy kilkakrotnie budziły go kurcze nogi.

DZIEŃ DZIEWIĄTY, CZWARTEK

Przez cały dzień pracował nad „pierwszym krokiem". Najpierw postanowił zrekonstruować historię swego pijaństwa. Zaczął zapisywać, kiedy pił i jakie miał z tego powodu problemy. Z przypomnieniem każdego szczegółu z mroków pamięci wydobywały się następne. Pierwsze zatrzymanie po pijanemu przez milicję, gdy miał siedemnaście lat. Zdemolowany pokój w hotelu dwa lata później. Bójki po pijanemu. Awantury rodzinne: po pogrzebie ojca, podczas pobytu u rodziny w Anglii, scysje z bratem. Podczas jednej z nich brat wezwał milicję; W. długo nie mógł mu tego wybaczyć. Nagle przypomniał sobie, że miał wiele innych zajść z milicją, o których nie pamiętał. Kiedyś milicjanci zabrali go z Kameralnej na Wilczą, tam został pobity przez przesłuchującego go tajniaka i ten fakt przysłonił mu przyczynę, dla której w ogóle znalazł się na komisariacie. W Kanadzie policja zatrzymała go za jazdę po pijanemu. We Wrocławiu po wieczorze autorskim tak się upił, że milicja zawiozła go do izby wytrzeźwień, tam jednak ze strachu natychmiast otrzeźwiał, toteż lekarz odmówił przyjęcia go. Przypomniał sobie jeszcze większy strach, jaki go ogarnął, gdy znalazł się pod bramą izby sam na sam z milicjantami, którzy go przywieźli. Jakoś ich jednak zbajerował i odwieźli go do hotelu. W. przypominał sobie również swoje życie zawodowe i osobiste. To ostatnie, pełne nieszczęśliwych miłości, rozstań i zerwań, było tak bolesne, że W. chętnie oderwał się od pracy i poszedł na wieczorny wykład.

Linda mówiła o cenie alkoholizmu. O zmarnowanym czasie, o kosztach emocjonalnych – własnych oraz innych osób z otoczenia alkoholika, a także o kosztach finansowych. Te ostatnie dawały się łatwo oszacować, ale i były najbardziej zaskakujące. Linda kazała każdemu policzyć swoje koszty na kartce. Na alkohol każdy wydał od kilkunastu do kilkudziesięciu tysięcy dolarów. To był dopiero początek. Linda kazała podzielić kartkę na trzy pionowe rubryki: wydatki gotówką, pokryte przez ubezpieczenie oraz poniesione przez państwo, sądy, pracodawcę lub przez innych ludzi. Potem zaczęła dyktować, co wpisać w te rubryki. Najpierw wydatki na cele medyczne: detoksy, na jakich bywali pacjenci, koszty kuracji odwykowych, wliczając w to transport do i z Farmy. Koszty psychologów, psychiatrów, usług w poradniach. Pobyty w szpitalach w związku z alkoholizmem. Pobyty w szpitalach i wizyty lekarskie związane ze skutkami wypadków spowodowanych po pijanemu. Koszty tych wypadków i napraw samochodów. Koszty wyjazdów z domu, żeby odpocząć albo się odnaleźć. Taksówki do knajpy, z knajpy do knajpy, do domu. Koszty rozwodów, alimentów, a także przygód pijackich. Wewnętrzny przymus dokonywania zakupów. Prezenty kupowane najbliższym pod wpływem poczucia winy. Wartość przedmiotów rozdanych bądź zgubionych po pijaku. Pijackie telefony. Sute napiwki. Koszty ubrań, pościeli i dywanów z dziurami wypalonymi papierosem. Linda bezwzględnie czytała listę. Gdy doszła do końca, obecni podnieśli znad kartek papieru blade z przerażenia twarze. Dan przyjrzał się swojej kartce i zdumiony powiedział. „Kiedy mój syn skończył szkołę, nie posłałem go na studia. Wydawało mi się, że trzydzieści tysięcy dolarów, potrzebne na to, by go wykształcić, to za drogo. A sam wydałem ćwierć miliona, żeby się ogłupić".

Linda powiedziała, że rozumie ich ból, bo sama kiedyś musiała zrobić podobny rachunek. Ale ma dobrą wiadomość. Jeśli uda im się wytrwać w trzeźwości, to każdy będzie zamożnym człowiekiem już z racji samego niepicia, bez dodatkowych wysiłków. Trudniej natomiast będzie z gospodarowaniem czasem, czego trzeba się nauczyć. Alkoholicy marnują masę czasu na picie i kace, a później pracują jak szaleni, żeby to odrobić. W rezultacie nie mają czasu dla najbliższych, dla siebie ani na rozrywki. Linda sugerowała, żeby każdy starał się wypracować najbardziej mu odpowiadający rozkład dnia. Powinno być w nim miejsce na to, co każdy musi zrobić (na przykład sen, praca, higiena, posiłki, sprzątanie, zakupy, załatwianie koniecznych spraw), na to, co powinien zrobić (czas spędzany z rodziną, mityngi AA i czas dla siebie) oraz na to, co chciałby zrobić (czytanie, rozrywki, hobby, spotkania towarzyskie). Radziła, aby przede wszystkim nie planować zbyt wielu zajęć na każdy dzień, bo to niemal pewna recepta na niepowodzenie i źródło złości na samego siebie. Dobrze jest prowadzić dziennik, w którym zapisuje się, ile czasu pochłaniają poszczególne zajęcia, po to, by nauczyć się lepiej gospodarować czasem.

W. słuchał tego oniemiały. Nie znał wielu kosztów swojego pijaństwa poniesionych przez innych, ale i tak wyszło mu między sześćdziesiąt a sto pięćdziesiąt tysięcy dolarów. Nigdy nie zdawał sobie sprawy, że w ogóle mógł kiedykolwiek otrzeć się o taką sumę pieniędzy. Ale to był drobiazg. W. przypomniał sobie, że przez jakiś czas prowadził właśnie takie rachunki, o jakich mówiła Linda.

Jeszcze na studiach pracował latem jako pilot wycieczek zagranicznych. Płacono za to średnio, ale czasem dostawał napiwki. Już wtedy sporo pił, stawiał innym i dużo wydawał na alkohol. Liczył więc, ile pieniędzy miał w kieszeni na początku wycieczki i ile na końcu. Różnicę uznawał za dochód, a to, co przepijał, traktował jako koszty pracy. W rezultacie zarabiał bardzo niewiele, a czasem wręcz wychodził na minus. Później, gdy dostawał pieniądze z honorariów, udoskonalił swoją rachunkowość, ale nadal nie uwzględniał tego, co przepił, w swych dochodach; nic dziwnego, że były niewielkie.

Z gospodarowaniem czasem było inaczej. Kiedy nie pił, zapisywał sobie, ile godzin każdego dnia pracował. Na końcu miesiąca dodawał je. Jeśli wychodziło mu sto pięćdziesiąt, to znaczyło, że wszystko było w porządku, bo pracował przeciętnie pięć godzin dziennie. Gdy przez piętnaście dni pracował po dziesięć godzin, miał zapas na dwa tygodnie na pijaństwa. Kiedy ciągi stawały się coraz dłuższe, wydłużał również okresy obrachunkowe, ale w końcu i z tego zrezygnował.

Po co to robił? Przecież nie musiał. Nie było wtedy podatków od dochodów, nikt nie rozliczał go z czasu pracy. Uświadomił sobie, że tymi zeszytami uspokajał sumienie. Musiał jakoś zdawać sobie sprawę z tego, że alkohol zabiera mu czas i pieniądze, więc prowadził tę księgowość, żeby samego siebie oszukać. Od kilku dni słyszał o zakłamaniu jako spójnej konstrukcji intelektualnej, mającej na celu samooszukiwanie, ale myślał, że jego to nie dotyczy, ponieważ nie ukrywał swego picia. Postanowił, że kiedyś odszuka w domu te zeszyty i przekaże je do muzeum alkoholizmu. Na razie jednak wrócił do pracy nad piciorysem. Zamierzał patrzeć na siebie ze szczególnym krytycyzmem, i to tak, aby w przyszłości nie zapomnieć, co teraz w sobie odkrywał. Na podstawie wcześniejszych zapisków zaczął robić wykres swojego życia; siedział nad nim do późna w nocy.

Rysował to – tak samo jak robił wszystkie notatki – wieloma kolorami na dużej kartce formatu A4 w linię. Każda linia oznaczała jeden rok z dwudziestu pięciu lat – od trzynastego roku życia do teraz. Czarnym kolorem zaznaczał linie w okresie, kiedy pił, brązowym, gdy nie pił. Na tych liniach oznaczał symbolami takie zdarzenia, jak zajścia z policją, bójki, zerwane związki, obietnice niepicia i powroty do alkoholu. Po prawej stronie kartki objaśniał te znaczki oraz opisywał niebieskim kolorem ważne wydarzenia życiowe, takie jak matura, studia, doktorat, napisane książki, przeprowadzki i podróże.

Robił to z determinacją, koło północy miał już gotowy brudnopis, wtedy się położył. Ale długo nie mógł zasnąć; przed oczyma majaczyły mu wielokolorowe linie i zapiski. Miał wrażenie, że czegoś tam brak.

DZIEŃ DZIESIĄTY, PIĄTEK

Na porannym spotkaniu grupy kontrolnej Ann mówiła o „czwartym kroku": „Zrobiliśmy gruntowny i odważny obrachunek moralny". Wiało od niego grozą. Każdy, kto pił, bywał na bakier z przykazaniami i moralnością. Nikt też nie wiedział, jak się do tego zabrać.

Ann powiedziała, że obrachunek moralny dotyczy nie tylko wad, ale również zalet. Zresztą często ta sama cecha lub zachowanie może raz być zaletą, a kiedy indziej wadą. Na przykład szczodrość jest zaletą, ale jeśli polega na rozdawaniu innym pieniędzy potrzebnych na utrzymanie rodziny, staje się wadą. Nawet najważniejsza w trzeźwości zaleta, czyli uczciwość, może być wadą, jeśli prowadzi do wyrządzenia komuś krzywdy. W każdym razie Ann sugerowała, żeby notować wady i zalety na tej samej kartce, tak by można by-

ło je zobaczyć jednocześnie. Poradziła również, by przed za-
braniem się do pracy nad „czwartym krokiem" przeczytać
odpowiednie rozdziały „Wielkiej księgi" oraz kilku innych
książeczek dostępnych na Farmie. A także pytać innych pacjentów o swoje zalety i wady.

Aby zademonstrować, na czym to może polegać, Ann po-
stawiła na środku pokoju wysoki stołek i kazała każdemu
kolejno na nim siadać. Pozostali mieli mówić, jakie siedzący
na stołku ma zalety. „Teraz tylko zalety, bo o wadach słysze-
liście już wystarczająco" – powiedziała Ann.

Było to niezwykłe przeżycie. Każdy usłyszał listę zalet,
o które sam siebie nie podejrzewał. W. dowiedział się, że
jest ciepły, uczuciowy, wrażliwy, szczodry i chętny do pomocy innym. Nigdy wcześniej nikt go za to nie chwalił.
Wiedział, że jest inteligentny, zdolny, pracowity, ma sukcesy. Podejrzewał też, że jest sentymentalny, ale bał się tego
i skrywał swą uczuciowość, która wydawała mu się oznaką
słabości. A teraz dowiedział się, że inni ją wyczuwają
i uznają za zaletę. Zaczęła mu kiełkować myśl, że może
w gruncie rzeczy nie najlepiej myślał o sobie. Inni mieli podobne wrażenie: w mrok przeszłości, w niepewność przyszłości zaczęło wdzierać się jakieś światło, płynące od innych ludzi, rozświetlające coś, co było ukryte wewnątrz
każdego.

Wtedy Ann opowiedziała o braciach syjamskich. Wyobraźcie sobie dwóch braci syjamskich, jadących samochodem i wyrywających sobie z rąk kierownicę. Jeden jest dobry,
czuły, wrażliwy, a drugi – uzależniony. Walczą między sobą
o to, który będzie kierował waszym życiem. Dotychczas brat
alkoholik był silniejszy; to on sprawował kontrolę i tłumił
słabszego. Teraz czekają was dwa zadania. Odnaleźć w sobie

tego słabszego i wzmacniać go tak, żeby był zdolny kierować waszym życiem. A jednocześnie odebrać drugiemu z rąk kierownicę, osłabić go i oddać pod kontrolę pierwszemu. Teraz już wiecie, że on istnieje. W. wyszedł ze spotkania podbudowany i postanowił szukać swego brata syjamskiego. Powiedział o tym Ann, która życzliwie się uśmiechnęła. Zadał więc jej jeszcze pytania, jak należy rozumieć bezsilność i niezdolność kierowania własnym życiem, bo uświadomił sobie, że tego mu brak w dotychczasowej pracy nad „pierwszym krokiem", do której chciał powrócić.

Ale wcześniej musiał pójść do lekarza. Kurcze w nodze nasilały się; teraz występowały nie tylko w nocy, ale także podczas dnia. Na Farmie był lekarz, doktor Bill, i W. miał wyznaczoną u niego wizytę niedługo po spotkaniu u Ann. Znalazł jeszcze chwilę, by zapisać sobie, o co ma go zapytać. Wiedział, że lekarze w Ameryce są drodzy i mają mało czasu, więc nie chciał o niczym zapomnieć. Chciał się dowiedzieć, co to jest i skąd się wzięło. Jak się to może rozwijać i czy nie grożą mu kurcze w obu nogach? Jak to leczyć? Jak długo to może potrwać? No i czego unikać w przyszłości? Czy będzie mógł uprawiać sport, jeździć na nartach, chodzić na długie wędrówki, o jakich zawsze marzył?

Doktor Bill starannie zbadał nogę, zapytał W., od kiedy miewa kurcze i jaki prowadzi tryb życia. Spytał też, jaką pracę mu przydzielono, i powiedział, że zwolni go z niej na jakiś czas. Poza tym W. nie powinien za dużo chodzić, na zajęciach ma trzymać nogę w górze, najlepiej na drugim krześle. Poza tym powinien wieczorem przykładać termofor i dwa razy dziennie brać tabletki, które dostanie. Za jakiś czas powinno mu przejść.

W. wyjął swoją kartkę i zapytał, co mu właściwie jest. Doktor Bill, nieco roztargniony, powtórzył: „Nie pracuj, nie chodź, trzymaj nogę w górze, przykładaj termofor i łykaj tabletki, a wszystko będzie dobrze". W. uznał, że lekarz nie zrozumiał pytania, więc je powtórzył, tłumacząc, że go interesuje, jak to się będzie rozwijać. „Czy to nie jest tak, że kurcz nogi jest rezultatem braku dopływu krwi do mięśnia? Tak samo jak zawał? Czy zatem proces, który powoduje te kurcze, nie grozi prawdziwym zawałem serca?" – zapytał. Doktor Bill aż otworzył usta. „Ja się tym nie zajmuję – powiedział. – Na razie unikaj chodzenia, nie pracuj przy taśmie w kuchni, trzymaj nogę na krześle, bierz tabletki i przykładaj termofor. To wszystko". W. dał za wygraną, ale jeszcze zapytał, co powinien robić, a czego unikać w przyszłości. „Już ci powiedziałem kilka razy: nie chodź, nie pracuj, noga w górze, termofor i tabletki. A teraz zjeżdżaj stąd, bo nie mam czasu".

Co za gbur, pomyślał W. Może dlatego, że to alkoholik. Jakim prawem tak mnie potraktował? Przecież każdy pacjent ma prawo do informacji. W. znał się na nauce, starał się zawsze zrozumieć świat, a tu jakiś prowincjonalny lekarz nie pozwolił mu zrozumieć własnej nogi.

Zrezygnowany poszedł do kuchni i oddał zwolnienie z pracy. Odebrał tabletki i termofor. Poszedł do siebie, wziął krzesło sprzed biurka Dole'a, położył na nim nogę i zabrał się do pracy nad piciorysem. Spojrzał na wczorajszy wykres. Postanowił nanieść czerwonym kolorem przypadki bezsilności wobec alkoholu. Jak powiedziała mu Ann, z bezsilnością mamy do czynienia wtedy, gdy pijemy, mimo że postanowiliśmy nie pić. Albo gdy postanowiliśmy wypić tylko jedno piwo, a pijemy więcej i upijamy się. Także wtedy, gdy ktoś obiecał sobie lub innym, że nie będzie już nigdy więcej pił, ale nie dotrzymał obietnicy. Kiedy piciorys bardzo się zaczerwienił, W. zaczął nań nanosić, fioletowym pisakiem, przypadki braku kontroli nad własnym życiem. Ann wyjaśniła, że najlepiej przypomnieć sobie różnego rodzaju ekscesy związane z alkoholem, awantury i bójki, problemy rodzinne, a także zawalenie pracy oraz kłopoty finansowe. W. powstawiał na wykresie znaczki x, x1, x2 i tak dalej, a po prawej stronie krótko opisywał te ekscesy. Kiedy skończył, spojrzał na kartkę papieru. Widniało na niej całe jego życie, sprowadzone do spraw najważniejszych: kariery, napisanych książek, relacji z innymi ludźmi oraz picia alkoholu i jego konsekwencji.

Zobaczył dosłownie czarno na białym, że linia roku, w którym skończył siedemnaście lat, od maja do końca września była oznaczona czarnym kolorem pijackiego ciągu, a później, aż do lutego następnego roku, widniało bardzo wiele czarnych kropek, czyli jednorazowych pijaństw. Uznał, że wtedy już był alkoholikiem, ale potrzebował aż dwudziestu jeden lat, by to dostrzec.

Gdy miał dziewiętnaście lat, po raz pierwszy postanowił przestać w ogóle pić. Wytrzymał kilka tygodni. Trzy lata później złożył sobie drugą obietnicę, też bezskuteczną. Potem podejmował takie postanowienia po każdym pijackim wypadku, bójce lub awanturze. Było ich wiele. Mając dwadzieścia dziewięć lat, już jako znany dziennikarz, był w Indonezji. Na przyjęciu w polskiej ambasadzie po pijanemu obraził kilkuset gości, i to pojedynczo, po kolei. Kiedy kilka osób powiedziało mu, że już raz ich obraził, wyszedł w ciemną noc w nieznane sobie miasto. Później pamiętał tylko, że rykszarze sprzedawali go sobie wzajemnie, zanim dowieźli go do hotelu Marco Polo. Pięć lat później kompletnie zdezorganizował międzynarodową konferencję w Irlandii i stracił zaproszenie na roczny wyjazd do Ameryki. Ale wszystko uchodziło mu na sucho: ambasador w Dżakarcie zatuszował całe zajście, a w zamian za odwołane zaproszenie przyjaciele w ambasadzie amerykańskiej znaleźli mu jeszcze lepsze stypendium.

W ciągu ostatnich pięciu lat już nawet nie potrzebował ekscesów, by postanawiać nie pić. Robił tak po każdym zakończonym ciągu, gdy w coraz większych męczarniach wracał do siebie. Ale nigdy nie udało mu się wytrwać. Najczęściej wracał do picia z powodu samotności, choć nie zawsze. Najdłuższy okres trzeźwości, który trwał siedem miesięcy, przerwał w Moskwie. Spotkał się tam z wielkim filozofem, z którym rozmawiali o moralności i wartościach. Potem uczony zaprosił W. na kolację. Zaproponował toast. W. odmówił, ale gdy zobaczył ból w oczach filozofa, przystał na kieliszek szampana. Kolacja skończyła się pijaństwem, a później W. przez trzy tygodnie pił i pracował na nieustannym kacu. Czasem przerywał trzeźwość, gdy ktoś go wkurzył. Zaczynał pić również wtedy, gdy umawiał się z kobietami. Te stanowiły ważną część jego życia.

W. zobaczył na wykresie, że niedługo po studiach zrezygnował z niemal wszystkich zainteresowań, z chodzenia do teatru, na zawody sportowe, a nawet znacznie ograniczył lektury. Jego życie coraz bardziej ograniczało się do picia, pracy i właśnie przelotnych znajomości z kobietami, o których najczęściej później nawet nie chciał pamiętać. Na linii oznaczającej dwudziesty szósty rok życia napisał: „upadek moralny", a rok później: „utrata zdolności do uczuć". Właśnie wtedy jedna z kobiet, którymi się zainteresował, powiedziała o nim, że jest jak wypalony garnek. Dopiero teraz W. zrozumiał, co to znaczyło. Zdał sobie sprawę, że jego życie osobiste było podporządkowane pijaństwu. Wyrzekł się nie tylko pierwszej miłości, ale również każdej następnej, jakby bał się, że związek z kimś może mu uniemożliwić picie. Potem wiązał się z kobietami niedostępnymi – mężatkami lub mieszkającymi za granicą. Takie związki dawały mu to, czego potrzebował, a jednocześnie pozwalały na powroty do pijaństwa. Czasem W. planował wspólne życie z kimś, ale zaraz ogarniało go zwątpienie. Uciekał, szukał przygód.

Ze wszystkich cech alkoholizmu brakowało mu zawalania pracy. Przypomniał sobie tylko jeden przypadek sprzed pięciu lat: był wtedy w ciągu i nie dotrzymał terminu oddania artykułu, na który czekała redakcja poczytnego tygodnika. Wierzył, że jak zwykle uda mu się na czas wytrzeźwieć i napisać, więc zwodził redaktorkę. Redakcja postanowiła zatrzymać druk do następnego dnia, kiedy W. już miał na pewno oddać tekst. Nazajutrz otworzył drzwi redaktorce kompletnie pijany z pustymi rękami.

Ale to się zdarzyło tylko raz. Wydawało się to prawie niemożliwe. W. spojrzał jeszcze raz na wykres i nagle zrozumiał dlaczego. Otóż, mając dwadzieścia cztery lata, zmienił sposób pracy. Pracował wtedy jako redaktor w wydawnictwie, do którego chodził codziennie na wpół do dziewiątej rano. Po jakimś czasie było mu coraz trudniej wstać, zdążyć do pracy i skupić się na niej. Postanowił odejść. Ponieważ dobrze pracował, kierowniczka redakcji chciała go zatrzymać i zezwoliła mu na pracę w domu. Brał książkę do zredagowania w określonym terminie. Pracując dzień i noc, robił ją zazwyczaj dwa lub trzy razy szybciej, zaoszczędzając sporo czasu.

Wtedy właśnie przerzucił się z codziennego picia na ciągi. Trwały one najpierw po kilka dni, ale później przedłużały się do tygodnia lub dwóch. Najdłuższy trwał prawie półtora miesiąca. Dlatego zawsze wybierał taką pracę, która pozwalała mu dowolnie dysponować czasem. O ile przez pierwsze lata pijaństwo przeszkadzało mu w normalnej aktywności życiowej, to później zawsze uważał, by czynności życiowe nie przeszkadzały mu w pijaństwie. Oczywiście działo się to poza jego świadomością. Toteż teraz, patrząc na wykres, W. dostrzegł, że potrzeba picia była główną siłą napędową jego życia. To ona decydowała o tym, co robił, gdzie pracował, gdzie mieszkał, jakie były jego najbardziej osobiste związki z ludźmi, jak żył.

W. zobaczył silniejszego brata syjamskiego, siedzącego od wczesnej młodości za kierownicą jego życia. Nie miał już wątpliwości, że ten kierowca jest alkoholikiem. I że on sam jest bezsilny wobec alkoholu.

Potwierdzenie tego odkrycia znalazł podczas popołudniowego wykładu wygłoszonego przez młodą terapeutkę imieniem Diana. Tematem był „czwarty krok" AA, czyli obrachunek moralny, o którym już w piątek mówiła Ann. Diana określiła ten krok jako katarktyczny, ponieważ pozwalał uczciwie poznać samego siebie. Przedstawiła sekwencję problemów, uczuć oraz zachowań alkoholika. Każdy alkoholik ma wiele trudności życiowych – w małżeństwie, w związkach z innymi ludźmi, w pracy; ma także kłopoty finansowe, prawne i zdrowotne. Problemy te rodzą, a jeszcze częściej pogłębiają, dolegliwe uczucia: wstydu, poczucia winy, odrzucenia i samotności, litowania się nad sobą, lęku, złości i urazy. Nikt nie chce przyznać się do takich uczuć, toteż każdy skrywa je pod innymi uczuciami oraz zachowaniami. I tak ukryty wstyd może wyrażać się pod postacią pychy. Poczucie winy prowadzi do szukania kozłów ofiarnych. Lęk przed odrzuceniem prowadzi do uwodzenia świata, zamieniania wszystkiego w żart lub po prostu do izolacji. Złość szuka winnych. Lęk leży u podłoża zachowań impulsywnych, ryzykanctwa, ale także wynoszenia się ponad innych. Nie znamy prawdziwych źródeł tych uczuć i postaw, ponieważ są one wytworem naszych zdolności rozumowania, racjonalizacji. „Czwarty krok" pozwala przebić się przez ten pancerz i dostrzec zachowania oraz leżące u ich podstaw uczucia. Jego powodzenie zależy wyłącznie od zdolności uczciwego spojrzenia na własne czyny, emocje i motywy. Ten, komu się to uda, zobaczy, że jego zachowania i dolegliwe uczucia były rezultatem uzależnienia.

W. bez trudu skojarzył słowa Diany ze sobą i natychmiast zwołał spotkanie grupy. Przedstawił swój wykres i raz jeszcze opowiedział o własnej bezsilności wobec alkoholu. Mówił o niedotrzymywanych postanowieniach i o powrotach do picia. O ile wcześniej zazwyczaj miał po temu jakieś powody, to zupełnie nie potrafił zrozumieć ostatniego ciągu, w Waszyngtonie. Nastąpił on po bodaj najszczęśliwszym okresie w jego całym życiu. Odnosił sukcesy, miał nowe perspektywy. I nagle, bez żadnego powodu, poszedł pić. Dla W. był to koronny dowód jego bezsilności wobec alkoholu.

Tym razem członkowie grupy uznali, że W. przekonał ich o bezsilności, ale Bill i Adam wciąż czuli u niego silne przekonanie o sprawowaniu kontroli nad życiem. Świadczyć o tym miały te fragmenty, w których mówił, dlaczego zaczynał pić po dłuższej przerwie. „Te rzekome powody picia mącą ci świadomość. Zastanów się uczciwie, dlaczego piłeś. Dodaj do swego wykresu brak zdolności do kierowania życiem. I to zupełnie niezależnie od alkoholu. A więc zrób drugą część «pierwszego kroku», bo bez niej nie posuniesz się naprzód" – powiedział Bill.

W. nie bardzo to rozumiał. Przecież dopiero co Diana wyraźnie powiedziała, że alkoholik ma problemy, które leżą u podłoża jego uczuć i zachowań. Ale przede wszystkim był zły, że wciąż jeszcze musi przerabiać „pierwszy krok". Spieszył się już do następnych, zwłaszcza do „czwartego", o którym mówiła Diana.

Wieczorne spotkania grupy zwoływali Bill i Laura. Gdy Bill mówił o ścisłym związku alkoholizmu z hazardem, W. pomyślał o równie ścisłym związku pijaństwa i seksu u siebie. O tym właśnie mówiła Laura. Ona z kolei zarówno picie, jak i rozwiązłość łączyła z lękiem przed odrzuceniem. Opanowana tym lękiem, nie była zdolna otworzyć się na drugiego człowieka, chyba że się napiła. A wtedy otwierała się za szybko i za bardzo. W. utożsamił się z tym jeszcze bardziej, choć zaczął sobie uświadamiać, że on nie tyle się otwierał, ile zdobywał.

Myślał o tym do późna w nocy. Zrozumiał, dlaczego jego partnerki miewały przygody z innymi mężczyznami. Przypomniał sobie słowa Ewy o tym, że dawać W. umie, ale brać nie. Włożył rękę pod kołdrę. Potem miał wrażenie, że był to pierwszy całkowicie czysty akt seksualny w jego życiu. Zasnął z postanowieniem wierności.

DZIEŃ JEDENASTY, SOBOTA

Temat porannego odliczania brzmiał: „Czy jest coś, czego nie jestem gotów wyrzec się dla trzeźwości?". Lista W. była dość krótka. Na pierwszym miejscu napisał o zobowiązaniach wobec córki, ale później wpisał nad tym własną uczciwość. Potem zobowiązanie wobec jednej wybranej osoby, którą będzie kochać. Pod tym seks i praca, ale przy tej ostatniej postawił znak zapytania. Między miłością a seksem znajdowały się obowiązki wobec ojczyzny; gdy W. o tym wspomniał, inni pacjenci w ogóle nie mogli zrozumieć, o co mu chodzi. Na ich listach znajdowały się podobne wartości co u W., chociaż często pojawiało się AA, „12 kroków", siła wyższa oraz duchowe korzyści z trzeźwości. Ktoś wspomniał o wolności, inny napisał, że dla trzeźwości nie zrezygnowałby z wypraw na ryby. Prowadzący zajęcia przerwał dyskusję na temat szczegółów, tłumacząc, że jeśli alkoholik postawi cokolwiek ponad trzeźwość, to najpewniej ją straci, a w konsekwencji także tę stawianą wyżej wartość. To uprościło myślenie na temat priorytetów.

Reszta dnia była poświęcona programowi Anonimowych Alkoholików. Po południu pokazano film o alkoholizmie, który szczególnie silnie wydobywał progresywny charakter choroby. Choroba może rozwijać się w ukryciu nawet wówczas, gdy alkoholik nie pije. To tłumaczyło znane przypadki ludzi, którzy wrócili do picia po wieloletniej przerwie i niemal natychmiast znajdowali się w dużo gorszym stanie, niż byli, gdy przestawali pić. Film prowadził do wniosku, że jedyną skuteczną metodą na alkoholizm jest wspólnota AA. „Tak jak na ból zębów jest dentysta, na alkoholizm jest AA" – podsumował dyskusję nad filmem prowadzący ją Don.

Wieczorem było zamknięte spotkanie AA. Frank i Dick opowiadali o swym piciu i trzeźwieniu. Ten drugi był pacjentem. Kiedyś już przeszedł przez rehab, później trafił do AA, ale nigdy nie przeszedł przemiany duchowej, toteż zapił i tu wrócił. W. zauważył, że sam termin „przemiana duchowa" nie odrzuca go tak bardzo jak na początku. Powoli zaczynał interesować się duchowymi aspektami trzeźwienia, o których mówił niemal każdy na Farmie.

Mówiła o tym również dawna pacjentka, Heidi, która dzieliła się swoim doświadczeniem po mityngu. Podkreśliła, że nikt inny nie mógł jej pomóc. Bezskuteczne były też zmiany pracy, miejsca zamieszkania i sytuacji życiowej. Nawet AA nie zapewniło jej trzeźwości. „Ja musiałam sama chcieć, a wtedy AA okazało się pomocne" – powiedziała. Heidi podkreśliła znaczenie tego, by nie komplikować sobie życia oraz żyć dniem dzisiejszym: nie brać na siebie zbyt wiele, nie spieszyć się, nie planować za dużo i nie martwić się przesadnie o przyszłość. Zapytana o rolę siły wyższej w trzeźwieniu, Heidi powiedziała, że na pewno jej pomaga, ale ona o tej sile wyższej wie tylko dwie rzeczy: po pierwsze, że jest to siła większa od niej samej, a po drugie, że tą siłą nie jest ona.

Po tym spotkaniu W. zapisał w dzienniku:
1. Chyba zmienia się mój stosunek do AA. To nie jest tylko grupa wsparcia, na którą trzeba chodzić z obowiązku. To grupa przyjaciół, na spotkania z którymi można chcieć chodzić.
2. Przyjechałem tu, wierząc, że mam się nauczyć nie pić. Że moje życie z alkoholem było fajne, ale już nie mogę go kontynuować, więc muszę się nauczyć żyć jak dawniej bez niego. Ale to chyba niemożliwe. Tu trzeba zmienić cały stosunek do alkoholu i całą osobowość.

Potem poszedł na potańcówkę, w której brali udział obecni i byli pacjenci. Na samym początku W. czuł podobną nieśmiałość jak na zabawach szkolnych, zanim jeszcze nauczył się ośmielać alkoholem. Teraz jednak przełamał się i zaczął tańczyć. Tańczył sporo i nagle uświadomił sobie, że po raz pierwszy od niepamiętnych czasów tańczy nie tylko bez alkoholu, ale także bez obsesyjnej myśli, by zaciągnąć jakąś partnerkę do łóżka. Za to bardzo dużo mówił, opowiadał, dowcipkował, żartował. Po krótkim czasie był jak dawniej królem towarzystwa. Nawet bez alkoholu czuł, jak wznosi się coraz wyżej i wyżej. Było mu z tym dobrze i jeszcze lepiej, tak dobrze, że z wielkim żalem szedł do siebie po zakończonym dancingu.

DZIEŃ DWUNASTY, NIEDZIELA

Nie wstał na śniadanie, ale tym razem bez poczucia winy. Zabrał się do pisania kartek i listów, próbował coś przeczytać, ale czuł jakiś wewnętrzny niepokój. Po chwili zdał sobie sprawę, że czegoś się boi. Ten lęk wiązał się z poprzednim wieczorem. Zdał sobie sprawę, że za bardzo pajacował, za dużo gadał, a w tym, co mówił, było wiele nieprawdziwych opowieści, które wymyślał podczas pijaństw, by zaimponować słuchaczkom. Teraz już wiedział, że to jest nieuczciwe, a skoro uczciwość jest warunkiem trzeźwości – może być groźne. Pomyślał, że te wymyślane opowieści mogą być jego maską, mającą chronić go przed światem, ale zarazem oddzielającą od innych.

Wyszedł do saloniku. Wiele osób też dopiero co wstało, niemal każdy wyglądał tak, jakby miał kaca. W. zastanowił się, czy organizm alkoholika nie reaguje odruchowo kacem na zabawę, nawet bez alkoholu. Zapytany o to Ben objaśnił W. pojęcie suchości: alkoholik, który nie pije, jest suchy, ale nie trzeźwy. Trzeźwość wymaga pracy nad sobą i przemiany sposobu myślenia oraz reagowania. Bez tego alkoholik, nawet gdy nie pije, myśli i reaguje jak pijany, toteż często miewa tak zwanego „suchego kaca". W. zrozumiał, że wczorajsza zabawa mogła obudzić suchego kaca nie tylko w nim.

O drugiej odbyło się otwarte spotkanie AA, podczas którego pani w średnim wieku mówiła o tym, że przez całe życie uciekała od świata, z którym nie potrafiła sobie radzić, mimo że próbowała najrozmaitszych sposobów. Słuchając jej, W. poczuł, że jakaś myśl dobija mu się do głowy. Jej źródłem było wczorajsze pajacowanie. Uświadomił sobie, że gdy opowiadał niezwykłe historie, czuł się pewniej, mniej onieśmielony. Przypomniał sobie, jak, mając chyba dwadzieścia pięć lat, chadzał na dancingi do kawiarni „Słoneczna" w Warszawie. Tam wybierał partnerkę do tańca, której opowiadał całe zmyślone życie. Była to po trosze forma twórczości, a po trosze gra. Chyba gra pociągała go bardziej, bo z czasem zwiększył ryzyko. Pytał właśnie poznaną nieznajomą o zawód, po czym mówił jej, że robi to samo. Jeśli była nauczycielką, rozmawiali o wspólnym zawodzie nauczycielskim. Bywał lekarzem, adwokatem, urzędnikiem. Kiedyś wymyślił sobie rolę więźnia, który co kilka lat ucieka z więzienia. To mu daje cel w więzieniu i możliwość kosztowania przez kilka dni prawdziwej wolności. Partnerka dziwiła się, ale W. przekonał ją o urokach tego życia. Co gorsza, przekonał także siebie. Gdy już byli w jej mieszkaniu, nabrał chęci, by ją udusić, dać się zamknąć i zacząć realizować wymyślony dopiero co scenariusz. Wystraszył się i już nie wymyślał niczego ryzykownego.

Ale i bez tego kłamał i wymyślał niestworzone historie, których wiele zrosło się z jego życiem. Jeszcze przez długi czas po wyjściu z Farmy z trudem rozpoznawał, co w jego biografii było prawdą, a co zmyśleniem. Słuchając Sandry, zdał sobie z tego sprawę, ale wiedział, że w jego wypadku to nie była ucieczka od życia. To był sposób radzenia sobie z nim. Czy zatem ucieczką od życia był alkohol? Też nie. Przecież pił z ludźmi, nie w samotności. Więc picie alkoholu też było formą radzenia sobie, środkiem komunikacji z ludźmi. Zobaczył następującą sekwencję: gdy wychodził do świata, czuł niepokój i onieśmielenie, nieporadność emocjonalną i wrażliwość. Tak jakby wychodził z domu z wszystkimi nerwami na wierzchu. Obawiał się ciosów i bólu. Próbował się osłonić, mówiąc, działając albo zacierając granicę między powagą a żartem, czyli właśnie pajacując. Z tego była zrobiona jego skorupa. Często okazywało się to skuteczne, ale nie zawsze. Gdy skorupa nie wystarczała, zaczynał pić. Przestawał się bać, był wśród ludzi, radził sobie, dopóki starczało mu sił, by pić. Gdy padał, chował się z powrotem przed światem, uciekał. Nagle W. zaczął uświadamiać sobie, dokąd uciekał.

Wrócił do pokoju i wyciągnął wykres. Pamiętał, że małymi kółkami pozaznaczał napisane książki. Teraz zobaczył, że kółek tych wcale nie ubywało z postępami pijaństwa. Co roku było przynajmniej jedno, a czasem dwa. Co więcej, w latach, gdy pisał po dwie książki, pił łącznie dłużej niż w innych. Pewnego roku pił krótkimi ciągami do maja, potem przez cały maj pisał, do połowy lipca pił, pisał do września, znów pił i pisał w listopadzie. Wyglądało to tak, jakby pisząc, wypoczywał od picia, a nie odwrotnie. Nie pił, jak zawsze sądził, by móc pisać, ale pisał, by móc pić. Pisanie zapewniało mu poczucie wartości i uznanie w oczach innych, a jednocześnie pozwalało mu wierzyć, że nie ma problemu z alkoholem.

Zastanowiło go jednak coś innego. Od wielu pacjentów słyszał już, że praca może utrudniać dostrzeżenie problemu. Wielu z nich uznałoby swój alkoholizm dużo wcześniej, gdyby nie to, że sprawnie funkcjonowali w pracy. Mówili, że alkoholik najpierw traci zdolność wyrażania uczuć, poczucie wartości, więzi z innymi ludźmi, zainteresowania, później majątek, a dopiero na końcu pracę i zdrowie. Toteż praca bywa ważnym składnikiem zakłamania. W. nie sądził jednak, że pisanie mogło zapewniać mu poczucie bezpieczeństwa. Przypomniał sobie Singapur.

Miał wtedy dwadzieścia dziewięć lat. Była to jego pierwsza prawdziwie wielka podróż. Po dwóch tygodniach w Australii miał lecieć do Laosu, później do Tajlandii, Malezji, Singapuru i na Filipiny. Samolot z Darwin na północy Australii był opóźniony i W. stracił w Singapurze połączenie z Vientianne. Na lotnisku poczuł się obco. Podszedł do biura linii lotniczych Qantas, gdzie dowiedział się, że następny samolot jest dopiero nazajutrz. Panienka doradziła mu, żeby wziął taksówkę i pojechał do hotelu w mieście. W. dobrze wiedział, że wszystkim tym powinny zająć się linie lotnicze, bo przecież stracił połączenie z ich winy, ale nie miał siły się wykłócać. W hotelu poprosił o pokój i nie sprzeciwił się, gdy zażądano od niego opłaty z góry. Narastał w nim jakiś wewnętrzny niepokój. Czuł, że nie ma kontaktu z ludźmi, mimo że wszyscy mówili dobrze po angielsku. W. nie rozumiał jednak ich gestów, wyrazu twarzy, min, całego kontekstu, bez którego słowa niewiele znaczą, a już na pewno nie łączą ludzi ze sobą. Poczuł zagubienie i lęk. Poszedł do swego pokoju na jedenastym piętrze. Po chwili bez pukania wszedł portier. Miał na sobie wielokolorowy uniform i uśmiechał się całą twarzą.

Zapytał, czy W. już teraz potrzebuje dziewczyny. W. odmówił. Portier powiedział, że jeśli życzyłby sobie kobiety lub czegokolwiek innego, będzie czekał na jego znak na korytarzu. W. miał wrażenie osaczenia. Spojrzał przez okno, dostrzegł kilka wieżowców i postanowił wyjść do miasta. Po wyjściu z hotelu poczuł uderzenie parnego gorąca. Dowiedział się, że do centrum ma kilka ulic. Odpędził ręką rykszarzy, odmówił kierowcom taksówek zatrzymujących się przy nim. Szedł, ale czuł, że ma nogi jak z ołowiu; z największym trudem stawiał stopy. Miał przed sobą falę gorącego i dusznego powietrza, wymieszaną ze słodkawą wonią smażonego oleju, ale odczuwał ją, jakby to była lita skała, która stawiała mu opór. Zawrócił. W pokoju usiadł na łóżku i zaczął przeglądać kanały w telewizorze. Nic nie rozumiał, choć wiele było anglojęzycznych. Znów wszedł portier z tym samym pytaniem. W. powiedział, że może później. Kręciło mu się w głowie. Chciał uciec, ale nie miał dokąd. Spróbował otworzyć okno, ale było zamknięte na stałe; powietrza dostarczała do pokoju klimatyzacja. Po kolejnej wizycie portiera W. zabarykadował drzwi szafką nocną i walizkami, wtulił głowę w poduszki, żeby nie słyszeć szumu klimatyzacji, i w ubraniu zasnął.

Obudził się pod wieczór, nie bardzo wiedząc, gdzie jest. Poczuł głód. Zjechał windą na dół. Szedł długim korytarzem; po obu stronach były restauracje. Chciał jakąś wybrać, ale nawet nie potrafił rozpoznać, czym się różnią. Przed jedną stał portier i zaprosił W. do środka. Ten nie potrafił odmówić. Trzy hostessy zaprowadziły go do stolika w kącie pustej sali. Nie wiedział, co zamówić. Nazwy dań w karcie nic mu nie mówiły. Powiedział kelnerce, że chce coś małego, najlepiej, żeby miało jakąś mokrą konsystencję – zupę albo coś w sosie. Kelnerki zaczęły stawiać przed nim wiele dań, może

wszystkie zupy i wszystko, co mieli w sosie. Teraz W. poczuł
się osaczony jedzeniem. Spróbował jakiejś potrawy, ale mu
nie smakowała. Skubnął coś jeszcze, ale nie miał nawet siły
jeść. Podpisał rachunek i wrócił głodny do pokoju. Znów
bezskutecznie mocował się z oknem. Potem leżał na łóżku,
patrząc bezmyślnie w sufit.

Nagle wstał. Otworzył walizkę i wyjął z niej notatki spo-
rządzane podczas podróży po Australii. Zaczął je przeglądać.
Szum w głowie zmalał. W szufladzie biurka znalazł papier li-
stowy i zaczął pisać plan reportażu z Australii. Potem sam re-
portaż. Wciągnął się, zapomniał, że jest w Singapurze. Chodził znanymi sobie i przyjaznymi ulicami Sydney, Melbourne
i Canberry. Z magnetofonu odsłuchał rozmowy z ludźmi,
których tam spotkał. Po dwu godzinach zadzwonił do recep-
cji i już bez lęku poprosił o kanapkę, wodę oraz o więcej papieru do pisania. Pisał szybko i z każdą napisaną kartką czuł,
jak wraca do niego życie, zdolność myślenia, działania i dobry
nastrój. Gdy skończył nad ranem, zamówił do pokoju takie
śniadanie, jakie zawsze lubił: dwa jajka sadzone na szynce
i bekonie. Przespał się dwie godziny, wstał rześki, ogolił się,
na dole wypił sok, zapłacił za hotel i jedzenie, a rachunek starannie schował do portfela. Poszedł z nim do biura Qantas
w centrum miasta. Nie czuł duszności ani gorąca. Ściana gorącego powietrza, która wczoraj stawiała mu opór, teraz popy-
chała go z tyłu. W biurze stanowczo powiedział, że został źle
potraktowany i zażądał zwrotu poniesionych kosztów. Prze-
proszono go, odzyskał pieniądze, a samochód Qantas zawiózł
W. do hotelu po walizki, a później na lotnisko. Był już pewny
siebie i całkowicie oswojony z Singapurem i z Azją Południo-
wo-Wschodnią, po której jeździł jak po swoim terytorium
przez następne trzy tygodnie.

Później dowiedział się, że przeżył szok kulturowy, czyli nagłą utratę orientacji, lęk i depresję w zetknięciu z nieznaną cywilizacją. Przeczytał opisy tego szoku, który czasem prowadzi do samobójstwa. Istotnie W. nigdy nie był tak bliski samobójstwa, jak wtedy w pokoju hotelowym po powrocie z restauracji. Ale teraz nie myślał o samym szoku, lecz o tym, jak z niego wyszedł. Pisząc. Pisząc, poczuł się osadzony w dobrze sobie znanym świecie, nad którym miał kontrolę. Nie musiał się niczego bać, nie musiał z nikim rozmawiać, a jednocześnie budował swój świat, z samej natury oswojony. W tym świecie czuł się najlepiej. Nie było tam trudnych relacji z ludźmi, nie było żadnych niepokojów ani pokus, niczego, z czym trzeba było sobie radzić. Ten świat był doskonale odgrodzony od życia.

Lecz nie mógł tylko pisać. Musiał jeszcze żyć, zanosić to, co napisał, załatwiać różne sprawy, a także zbierać materiały do pisania, bo nie miał odwagi tworzyć z niczego. Gdy wychodził do świata, czuł się bezradny, zagubiony i zalękniony. Wtedy stosował swoje gry: zagadywanie, zabawę słowami, poczucie humoru. Pewnie czuł się też wtedy, gdy do kogoś mówił; nic dziwnego, że został wykładowcą. Ale nie mógł tego robić zawsze. Czasem nie pomagało mu również pajacowanie. Jego metody okazywały się wyjątkowo nieskuteczne w sprawach osobistych, gdy musiał podejmować decyzje dotyczące jego i innych ludzi, a także gdy musiał spojrzeć na samego siebie. Wtedy uciekał.

Teraz zrozumiał, co się stało na początku pobytu na Farmie. Przyjechał pewny siebie, wiedząc, co mu jest i czego chce. Gdy rzeczywistość nie poddała się jego oczekiwaniom, poczuł się zagubiony. Na ten niepokój zareagował tak jak zawsze: gadaniem i pajacowaniem. Gdy inni mówili o tym, co czują i jak trudno im się zmienić, W. opowiadał anegdotki, jak pił z psem. Ale to też nie było skuteczne. Kiedy więc do jego świadomości zaczęła przebijać się konieczność spojrzenia na samego siebie, chciał uciec. Wtedy wyciągnął korektę, bo ta pozwoliłaby mu znaleźć się z powrotem w jego świecie. Gdy Ann nie pozwoliła mu jej robić, chciał uciec w jak najbardziej dosłownym sensie. Tak jak zawsze uciekał od życia. W alkohol albo w pracę.

Wyjął z szuflady diagnozę i znalazł tam zdanie: „W. większą wagę przykłada do swego pracoholizmu niż do alkoholizmu. Mówi, że nie ma obawy upicia się, dopóki pracuje". Pomyślał, że Susan nie była tak niedoświadczona, jak przypuszczał. Być może alkoholicy tak sobie gmatwają obraz sytuacji różnymi wymysłami i wykrętami, że sami nie mogą zobaczyć tego, co dla innych jest oczywiste. I myślą też pokrętnie, by tylko nie zobaczyć prawdziwych siebie. W. zobaczył teraz alkoholizm jako przede wszystkim chorobę myślenia. Pomyślał o intuicji swego brata. Kiedy po jakimś ciągu W. wspomniał, że może powinien zaszyć sobie esperal, brat powiedział: „Najlepiej zaszyj sobie od razu dwa: jeden w tyłek, a drugi w głowę". W. zrozumiał, że leczenie musi zaczynać się od głowy, od zmiany sposobu myślenia.

Raz jeszcze przeczytał plan leczenia i zabrał się do pracy nad brakiem kontroli nad własnym życiem. Sugerowano mu, by zwrócił na to uwagę już od najwcześniejszych lat. Grupa kazała mu również przedstawić swoje uczucia z dzieciństwa. Domyślał się, że jego dominującym uczuciem był lęk. To właśnie dlatego wciąż uciekał od świata. Zawsze bał się go, bał się trudnych sytuacji, bał się konieczności dokonywania wyborów. Manipulował światem i ludźmi, żeby zmniejszyć ten lęk, w efekcie pomieszała mu się prawda z fałszem. A gdy manipulacja się nie udawała – pił. Postanowił poszukać źródeł swego strachu. Także i to zrobił na piśmie.

Pierwszym źródłem lęku był ojciec, bardzo wymagający, utrzymujący w domu dyscyplinę, której sam był poddany w dzieciństwie przez księży salezjanów. W. często dostawał w skórę. Za złe zachowanie, za złe stopnie, za wszystko. Kiedy ojciec spuszczał mu lanie, kazał mu wołać: „Moja wina, już nie będę, nie będę". Z czasem to poczucie winy wrosło w niego tak silnie, że gdy cokolwiek złego przydarzyło się w świecie, odruchowo zastanawiał się, czy to przypadkiem nie przez niego. Z tym uczuciem radził sobie poprzez różne usprawiedliwienia oraz obwinianie innych także za to, co sam zrobił. Stało się to odruchem: gdy kiedyś, wracając z rodzeństwem z przedszkola, zrobił kupę, po powrocie do domu oskarżył brata i siostrę, że to oni narobili mu w majtki.

Bał się również matki, która zawsze mogła naskarżyć ojcu, co też kończyło się laniem. Czasem obrywał od starszego brata, ale jego nie tyle się bał, ile dolegliwie odczuwał fakt, iż różnica trzech lat i czterech miesięcy okazywała się przepaścią nie do przebycia. Odtąd W. zawsze chciał być starszy, niż w istocie był, szukał też towarzystwa starszych kolegów. Najłatwiej znajdował je pod budką z piwem lub w winiarni, zwłaszcza jeśli sam stawiał.

Przypomniał sobie również poczucie odrzucenia, które towarzyszyło mu od dzieciństwa. Dotyczyło to czasem rówieśników, kiedy indziej ich rodziców, którzy nie pozwalali swoim dzieciom bawić się z W. Aż do dziesiątej klasy był bardzo mały, toteż bał się, że roślejsi koledzy będą nim pomiatali. Pamiętał doznane cierpienia, gdy dwóch kapitanów na przemian dobierało sobie chłopaków do drużyny piłkarskiej. W. marzył tylko o tym, żeby nie być ostatnim wybranym. Na osobnej kartce wypisał lęki polityczne. Było ich bardzo wiele, bo W. dorastał i żył w czasach, które często stawiały w obliczu poważnych wyborów. Te przychodziły mu z trudem, zwłaszcza że chciał być człowiekiem wolnym od konieczności codziennego wstawania i chodzenia do pracy i jednocześnie niezaprzedanym politycznie. Chciał mieć paszport i możliwość podróży zagranicznych, będąc w zgodzie z własnym sumieniem i z opinią środowisk, na których mu zależało, a więc nie wysługując się władzy. Jako dziennikarz i pisarz dobierał sobie takie tematy, w których nie musiał kłamać ani wychwalać ówczesnej rzeczywistości. Pisał o nauce, o historii, czasem o sporcie. Ale coraz częściej zadawał sobie pytanie, gdzie właściwie jest, po której stronie. Tu, na Farmie, pomyślał, że ta sytuacja zachęcała go do racjonalizowania wyborów, uzasadniania decyzji, niekiedy wbrew sumieniu. Uczulony na potrzebę zachowania całkowitej uczciwości, która, jak słyszał, jest jedynym, ale bezwzględnym warunkiem trzeźwości, innym okiem spojrzał na SPA-TiF. Zobaczył go jako miejsce, gdzie wraz z innymi zapijał rozterki moralne i kompromisy. Wydało mu się, że dostrzegł ważną cechę ustrojów totalitarnych. W ustroju takim niemożliwe jest, by ktoś zdolny i pracowity mógł osiągnąć sukces, zachowując jednocześnie uczciwość wobec siebie.

Wyszedł do saloniku, by podzielić się tym odkryciem, najpierw spotkał Erika, później Marka. Nie rozumieli, o co mu chodzi. Wytłumaczył, że o sprzeczność między poglądami moralnymi ludzi a ich działaniami. Erik powiedział, że każdy alkoholik przeżywa taką sprzeczność, bo czyni to, co sam potępia, no i kłamie, żeby się usprawiedliwić. Ale W. nie ustępował. Mówił teraz o konflikcie między tym, co ktoś mówi, a nawet robi, a własnymi, w pełni świadomymi przekonaniami. Obaj uznali, że to się może zdarzać, ale nie widzieli problemu. W. znowu odczuł przepaść między doświadczeniami własnymi i swoich amerykańskich kolegów. Wrócił do pokoju i zapisał w dzienniku:

Jeśli ja sam, moja tradycja i moje środowisko wyznajemy jeden system wartości, a życie wymaga stosowania innego, wówczas trudno o zachowanie uczciwości.

Przypomniał sobie krótki okres, kiedy ludzie działali zgodnie ze swymi przekonaniami i mówili to, co myśleli, i napisał:

Wyjątkiem był okres Solidarności, gdy ludzie mogli odzyskać uczciwość i godność.

Ale kiedy stanęły mu przed oczami własne ekscesy pijackie, także w tym czasie, dopisał:

Wszyscy, oprócz alkoholików.

Zauważył podobieństwo z tym, co mówili Erik i Mark. Więc tu, w Ameryce, jest tak, jak u nas było w czasach Solidarności: można być uczciwym wewnętrznie, chyba że ktoś jest alkoholikiem. A u nas w ogóle nikt nie może być uczciwy – pomyślał.

Wrócił do dzieciństwa. Zapisywał chaotycznie przypominane sobie zdarzenia i uczucia, a później je porządkował tak samo, jak porządkował notatki, pisząc eseje. Ale tym razem było mu trudniej, bo widział wiele sprzeczności. Był nieśmiały, ale odważnie wchodził między ludzi. Samotny, a jednocześnie towarzyski, a nawet przylepny. Na pewno był inteligentny i pewny swego zdania, aż do kłótliwości, a z drugiej strony – niezwykle wrażliwy na opinie innych o sobie oraz stale poszukujący akceptacji. Był ciekawy świata, nie znosił nudy; nudził się tylko raz w życiu, gdy w szóstej klasie poszedł na wagary.

Rozpoznał też w sobie zmienność nastrojów – od euforii do całkowitego wycofywania się ze świata, a nawet z własnych pomysłów. Od dzieciństwa był bardzo wrażliwy, a jednocześnie wstydził się swojej uczuciowości. Przypomniał sobie Boże Narodzenie, gdy miał chyba osiem lub dziewięć lat. Przyjechali do nich na Wigilię brat i żona chłopa z Białostockiego, u którego ukrywał się ojciec W. podczas wojny. Wspominali tamte czasy, lęk, odwagę, biedę, śmierć gospodarza, którego partyzanci, już po wojnie, w mroźną noc rozebrali do naga i przywiązali do drzewa. W. czuł napływające do oczu łzy i za wszelką cenę starał się je powstrzymać. Już wiedział, że płacz jest oznaką słabości, dobry dla bab, ale nie przystoi chłopcu. Odpędzał więc smutek najróżniejszymi przyguduszkami, dowcipami, ironią. Goście patrzyli na niego z niesmakiem, a ojciec wziął go za kark do sypialni i zlał pasem. Wtedy W. już mógł zapłakać.

Trudność wyrażania ciepłych uczuć, którymi był wypełniony, pozostała na zawsze. Już jako dorosły człowiek często kupował kwiaty. Jakaś nieprzeparta siła pchała go, by je zanieść jakiejś dziewczynie. Ale niosąc je, wstydził się, więc chował je za pazuchę. A dając, często mówił coś nieprzyjemnego, co miało dowieść, że mu nie zależy, że owszem daje kwiaty, ale jest zdolny także do bezwzględności bądź okrucieństwa. Teraz myśląc o tym, przypomniał sobie seanse filmowe, na których czasem, w chwili gdy wszyscy mieli łzy w oczach, jakiś podrostek wykrzykiwał nieodpowiednie słowo albo głośno się śmiał. W. utożsamił się z tym. Zastanowił się, czy nie mógłby wziąć kogoś takiego za rękę i zaprowadzić od razu na Farmę, jeszcze zanim zacznie otępiać swoją wrażliwość i wstyd alkoholem.

Lęk przed uczuciami wyniósł chyba z domu. Ojciec często powtarzał, że Pismo Święte nie mówi o tym, by rodziców kochać, lecz aby ich czcić. Sam też nie okazywał uczuć ani ich za bardzo nie rozumiał. W. przypomniał sobie spacer z ojcem, gdy, mając dwadzieścia cztery lata, przeżywał trudną – jak jego każda – miłość. Zaczynał wtedy pisać swoją pierwszą książkę. Ojciec wypytywał go o postępy w pracy. W. powiedział, że już ma koncepcję, ale trudno mu się zabrać do pisania, bo ma problemy osobiste. Na to ojciec, wyraźnie poirytowany, powiedział: „Jakie problemy? Masz gdzie mieszkać, masz co robić, masz co jeść. Wszystko jest w porządku, więc zabieraj się do roboty". Odtąd W. nawet nie próbował rozmawiać z ojcem o swoich sprawach. Unikał go, a po przedwczesnej śmierci ojca, cztery lata później, poczuł do niego żal i złość, które tkwiły w nim przez następne dwadzieścia lat.

Z matką W. rozminął się uczuciowo dwa lata wcześniej. Rozstał się właśnie z ukochaną kobietą, która wracała do rodziny za granicą. Przepełniony smutkiem poszedł do kościoła, gdzie długo płakał. Po powrocie do domu od razu wszedł do łazienki, by zmyć z twarzy ślady łez. Gdy wyszedł, matka zapytała go, czy przypadkiem znowu nie pił.

Teraz W. uświadomił sobie, że nie tylko bał się okazywać, ale również odbierać uczucia. Jakby obawiał się, że ulegnie temu, kto je okazuje. Przeważnie nie zdawał sobie sprawy z tego, że był lubiany. Przeszkadzał mu w tym lęk przed odrzuceniem. Do tego dochodził zwykły, fizyczny strach. Nie bał się wspinać na wysokie drzewa, skakać po dachach, podejmować ryzyko, nie bał się również nieznajomych. Bał się ojca, bał się swoich bliskich, bał się znajomych rodziców, bał się nauczycieli. I psów.

Przejrzał dotychczasowe notatki i nagle znalazł klucz, który pozwolił mu pogodzić pozorne sprzeczności. W jednej rubryce zapisał uczucia, a w drugiej to, co robił pod ich wpływem, w jaki sposób je wyrażał albo – dużo częściej – skrywał. Nie tylko lęk przed emocjonalnością, ale również strach nakazywał mu ucieczkę lub agresję. Skłonność do bójek była próbą przezwyciężenia tego strachu oraz udowodnienia sobie i innym, że nie jest tchórzem. Strach prowadził też do kłamstw i krętactwa. Ale W. kłamał nie tylko po to, by uniknąć gniewu i kary. Kręcił, bo nigdy nie potrafił odmówić, powiedzieć „nie". Nauczył się tego dopiero później, gdy już pił: wtedy upijał się i odważnie mówił, co czuł i myślał, ale wówczas często przesadzał w sile reakcji. Zmyślał też niestworzone historie, żeby wydać się ciekawszym i odważniejszym, a dzięki temu – akceptowanym przez innych.

Z lękiem przed odrzuceniem radził sobie też usłużnością: jako pierwszy spieszył z pomocą – w lekcjach, przy zakupach, w wielu innych sprawach. Zawsze wiele robił, by być lubianym, a w każdym razie nie zostać odtrąconym. Ten lęk wyrażał się również w potrzebie akceptacji, w przylepności. W. wcześnie nauczył się też wymuszania uczuć dobrymi wynikami w nauce, pracowitością, a także chorowaniem. Bo kiedy był chory, nie musiał odrabiać lekcji, zmywać lub szorować podłogi w kuchni i nawet ojciec okazywał mu wtedy trochę ciepła.

W. poczuł smutek. W środę zaczął uświadamiać sobie koszty alkoholizmu – poniesione na siebie i na innych. Trudno mu było udźwignąć ciężar krzywd wyrządzonych bliskim.

Teraz doszedł do tego niezbyt zachęcający obraz samego siebie: wypełnionego lękiem, strachem przed odrzuceniem
i przed własnymi uczuciami, szukającego za wszelką cenę
akceptacji, niezdolnego do powiedzenia „nie". Taki był już
w dzieciństwie i chyba taki pozostał do dzisiaj, z tym że po
drodze nauczył się radzić sobie ze światem, posługując się
manipulacją, poczuciem humoru i pracą. Ale dziś widział
w tych wszystkich umiejętnościach raczej wady aniżeli zalety, za jakie je zawsze uważał.

Przygnębiony, poszedł na spotkanie grupy, które zwołała Helena. Odwiedził ją jej chłopak i Helena wpadła w panikę. Powiedział, że może sobie robić, co chce, ale on nie zamierza
unikać alkoholu ani przestać pić. Helena nie wie, co począć –
zerwać z nim czy próbować go zmienić. Rick poradził, żeby
nie myślała teraz, co będzie później, i skoncentrowała się na
swojej kuracji. Laura była nie mniej rozdygotana; ona z kolei
rozmawiała przez telefon z matką i pokłóciły się o przeszłość.
W. zauważył, że ludzie są tu pogodni i pełni optymizmu, ale
ten nastrój pryska, ilekroć mają jakikolwiek kontakt ze światem zewnętrznym, zwłaszcza z najbliższymi.

W. chciał skorzystać z okazji, by przedstawić swoją historię z dzieciństwa, ale zrobił to powierzchownie, bo było za
mało czasu. Nawet to jednak wystarczyło, by inni utożsami-
li się z nim, gdyż nikt nie miał dobrych wspomnień; wszyscy przeżywali podobny strach przed odrzuceniem, brak ciepła i bliskości. Ustalono, że dokończy nazajutrz, a Bill
powiedział, żeby W. uwzględnił też to, jak zdarzenia z dzieciństwa i młodości mają się do jego pijaństwa. A dokładniej,
żeby przedstawił konkretne sytuacje, w których sięgał po alkohol. W. pracował nad tym do późna.

Wieczorem zanotował w dzienniku:
Nie każdy, kto pije, jest alkoholikiem. Ale ten, kto nim jest, trafia na szczególnie podatną pożywkę dla choroby w komunizmie. I to nie tylko dlatego, że trudno być uczciwym. Także dlatego, że można znaleźć wiele powodów, by pić. Pić „przez nich".

DZIEŃ TRZYNASTY, PONIEDZIAŁEK

Wstał o wpół do szóstej. Od rana myślał o Polsce. Uświadomił sobie, że wielokrotnie szukał argumentów, by usprawiedliwić, a przynajmniej zrozumieć różnego rodzaju zakazy oraz represje ze strony władz. Zastanawiał się, czy przypadkiem nie był to sposób zmniejszania złości i radzenia sobie z bezsilnością. Myślał o tym, jak sobie poradzi ze złością skierowaną nie na konkretnego człowieka, ale na cały system.

Tematem porannego wykładu była zmiana. Herb mówił o potrzebie zmiany naszego podejścia do życia – z negatywnego na pozytywne. Dawał przykłady negatywnych postaw i myśli: poczucie nieporadności, dążenie do kontroli, chęć rewanżu. Mówił też o pozytywnych, ale W. zwrócił uwagę, że Herb często używa słowa „rozwój". Mówił o tym, że uzależnienie uniemożliwia rozwój i uczenie się. W. nie bardzo mógł się jednak skupić, bo w myślach przygotowywał się do czekającej go opowieści o życiu, którą miał przedstawić grupie.

Zrobił to zaraz po wykładzie. Starannie przedstawił swoje uczucia z dzieciństwa. Mówił o poczuciu odrzucenia oraz o tym, jak sobie z tym radził. Opowiedział o związkach z kobietami i krótkotrwałym, nieudanym małżeństwie. Potem odpowiedział na postawione mu wczoraj pytanie o to, kiedy sięgał po alkohol.

Wyliczył dziewięć punktów: po pierwsze, pił po to, by wydać się starszym, poważniejszym albo żeby zostać zaakceptowanym przez innych. Po drugie, pił pod wpływem propozycji lub namowy, bo nie umiał odmówić, powiedzieć „nie". Po trzecie, pił, kiedy był zły na kogoś, kiedy spotkało go jakieś niepowodzenie lub znalazł się w obliczu trudnego wyboru. Z czasem pił ze złości na każdą wzmiankę o alkoholizmie. Nawet gdy miał zamiar pójść do kina lub inaczej spędzić wieczór bez alkoholu, ale przed wyjściem z domu matka powiedziała mu: „Tylko dziś nie pij" – zmieniał plany i szedł się napić, jak gdyby chciał zamanifestować swoją niezależność. Po czwarte, pił, gdy przeżywał nieporozumienia w związkach osobistych; nie musiała to być kłótnia, wystarczała niechęć bądź milczenie. Zawsze pił, gdy rozstawał się z kobietami. Po piąte, pił również wtedy, gdy wiązał się z kobietami. Jeżeli trzeźwy szedł na podryw, to pił, żeby sobie dodać odwagi. Jeżeli spotkał jakąś kobietę, będąc trzeźwym, to przed pójściem z nią do łóżka pił, żeby utopić poczucie winy. Po szóste, pił, gdy czuł się odrzucony lub samotny. Po siódme, pił, bo miał różne problemy: zawodowe, czasem finansowe, twórcze i po prostu życiowe. Pił też z ludźmi po to, by załatwić te problemy, na przykład z robotnikami, którzy wykańczali mu mieszkanie, albo z technikami, którzy zakładali telefon, bo inaczej nic by nigdy nie załatwił. Po ósme, pił z powodu różnorodnych problemów i konfliktów politycznych, na przykład w marcu 1968 roku, później, kiedy stracił pracę na uniwersytecie, i w wielu innych sytuacjach, o których dość szczegółowo opowiedział. I wreszcie, po dziewiąte, zdarzało mu się pić bez żadnej określonej przyczyny.

Kiedy skończył mówić, spojrzał po zebranych, czekając na ich reakcje. Tym razem nikt nie płakał ani się nie śmiał. Wszyscy chwalili go za dobrą pracę. Ku zaskoczeniu W., który w ogóle nie przywiązywał wagi do swego pierwszego małżeństwa, uczestnicy grupy uznali, że mógłby tam doszukać się wielu ważnych postaw i uczuć. Jednomyślnie stwierdzili, że w całej jego osobowości bardzo silnie tkwi ojciec, a zwłaszcza strach przed nim. Bill powiedział, że obawia się, czy W. nie oszukuje siebie, gdy mówi o powodach picia. To mogą być wykręty lub usprawiedliwienia. Nie przekonują go ani problemy życiowe, ani to, co W. określił jako konflikty polityczne. Powiedział, że z tego, co słyszy od niego o Polsce, sądzi, że jest to raj dla alkoholików, bo mogą pić, zwalając winę na ustrój. W. pomyślał, że Bill nie wie, o czym mówi, bo żyje w innej rzeczywistości.

Po zakończeniu spotkania W. poczuł straszliwe zmęczenie. Wrócił do pokoju i zapadł w głęboki sen, z którego obudził się już po obiedzie. Zaczął wykańczać wykres swego życia, który miał nazajutrz przedstawić Lindzie, ale uwaga Billa nie dawała mu spokoju. Rzeczywiście, nie bardzo wiedział, jak swoje problemy życiowe pogodzić z alkoholizmem jako chorobą. Czy miał je, ponieważ był chory na alkoholizm i pił, czy też pił, bo miał te problemy? Ale skąd wtedy miałby się wziąć alkoholizm? Cóż to by była za choroba?

Na szczęście wieczorny wykład miała Ann, która mówiła o współuzależnieniu oraz o potrzebie uczestnictwa rodzin alkoholików w podobnych do AA spotkaniach Al-Anon oraz Al-Ateen dla dzieci. W. nie mógł doczekać się końca zajęć. Poprosił Ann o chwilę rozmowy i zapytał o problemy życiowe oraz powody picia. Jak one się mają do choroby oraz do „pierwszego kroku". Ann odpowiedziała, żeby w ogóle nie myśleć o powodach, tylko o samym piciu. O tym, kiedy i ile pił. Powody to najczęściej usprawiedliwienia, będące częścią zakłamania alkoholika. „Nie zaakceptujesz swojej bezsilności ani niezdolności do kierowania własnym życiem, dopóki nie oderwiesz się od tych rzekomych przyczyn, nie zobaczysz, że wcale nie piłeś z powodu problemów życiowych, ale miałeś te problemy dlatego, że piłeś. A piłeś bez powodu. A raczej dlatego, że jesteś alkoholikiem. Na tym polega alkoholizm".

W. poszedł na spotkanie grupy, którą zwołał Bill. Podczas wieczornego wykładu Bill przestraszył się, że żona może storpedować jego trzeźwienie; nie chce w ogóle słyszeć o tym, by przyjechać na sesję rodzinną ani pójść na spotkanie Al-Anon. Mark z kolei zastanawiał się, czy nie powinien napisać matce o tym, że jest współuzależniona i potrzebuje pomocy. W. to samo pomyślał o Ewie. Laura też mówiła o mężu, od którego odeszła, chociaż emocjonalnie nadal tkwi w małżeństwie. Nie tyle z miłości do męża, co z przywiązania do młodzieńczych marzeń oraz z poczucia, że powinna umieć naprawić swój związek. Adam zaproponował wszystkim, by odmówili modlitwę o pogodę ducha, którą kończono większość spotkań na Farmie:

Boże, użycz mi pogody ducha,
    Abym godził się z tym, czego nie mogę zmienić,
Odwagi,
    Abym zmieniał to, co mogę zmienić
I mądrości, abym odróżniał jedno od drugiego.

W. długo myślał o tym, co powiedziała Ann. Właściwie ona unieważniła najistotniejsze dotąd pytanie, jakie zadawał sobie w związku z piciem: dlaczego piję? Inni zresztą też zawsze zadawali to samo pytanie. Także psychologowie i psychiatrzy. Przypomniał sobie zdarzenie sprzed dziewięciu lat. Na koniec trzydziestosiedmiodniowego ciągu w czasie jakiejś bójki pod knajpą dla artystów, zwaną „Ściekiem", W. upadł na bruk i bardzo dotkliwie potłukł sobie głowę. Postanowił coś zrobić z piciem, zwłaszcza że niedługo miał jechać na półroczne stypendium do Ameryki. Znajoma umówiła go na prywatną wizytę u jednego z najbardziej znanych psychiatrów w kraju. W. nigdy jeszcze przed nikim tak bardzo się nie otworzył. Mówił o swoich uczuciach, o życiu seksualnym, o poszukiwaniu sensu życia, o pracy. Szczerze mówił, dlaczego pije. Rozmowa trwała wiele godzin, podczas których zbliżyli się tak bardzo, że W. nie potrafił zapytać profesora, ile jest winien za wizytę; nigdy mu za nią zresztą nie zapłacił. Psychiatra szczegółowo wypytywał o pracę i plany amerykańskie. Doradził, żeby jeszcze przed wyjazdem W. dokładnie określił, co chce robić podczas stypendium, bo inaczej czas może mu się rozejść między palcami bez rezultatów. Gdy na koniec W. zapytał o swoje picie, profesor odpowiedział, żeby się o to nie martwił, bo ma tak ogromną samoświadomość, że na pewno z alkoholem sobie poradzi.

W. wyszedł z tego spotkania zbudowany. Przez kilka miesięcy w ogóle nie pił, ale później znów zaczął. Jeszcze przez dziewięć lat pił – z samoświadomością. Drugi raz równie szczerze opowiadał o sobie Jimowi podczas ich pierwszego spotkania w Nowym Jorku, w kwietniu. Kiedy doszedł do powodów picia, Jim przerwał i powiedział, żeby W. nie kłamał. Zmieszany W. powiedział, że wcale nie kłamie. „Wiem – powiedział Jim. – Ty mnie nie okłamujesz. Ty okłamujesz siebie. A ja o tym wiem, ponieważ sam siebie tak samo oszukiwałem. Dopiero sześć lat temu to dostrzegłem".

W. teraz zrozumiał, że pytał, dlaczego pije, nie po to, by przestać pić, ale po to, by pić dalej. Po to chyba zresztą w ogóle poszedł wtedy do lekarza. Gdy znalazł odpowiedź, miał powód, by znów się napić. Zaczął dostrzegać zakłamanie, składające się właśnie z owych powodów picia. Wyglądało na to, że jest to spójna i logiczna konstrukcja myślowa, oparta jednak na fałszywych fundamentach. Profesor psychiatrii patrzył na budowlę, architekturę, dobrze poukładane i spojone ze sobą cegły, ale nie widział fundamentów. Jim je widział, bo sam wcześniej musiał odkopać swoje. W. zaczął rozumieć, dlaczego niepijący alkoholicy w AA potrafią pomóc tym, którzy dopiero chcą przestać pić.

Wieczorem myślał o nauce, którą przecież zajmował się zawodowo od wielu lat. Wiedział, że myślenie naukowe opiera się na poszukiwaniu związków przyczynowych, na zadawaniu pytania „dlaczego" i poszukiwaniu odpowiedzi zaczynających się od „ponieważ". Ale teraz zastanawiał się, czy ta metoda nadaje się do poznania samego siebie. Przypomniał sobie piątkowy wykład Diany na temat „czwartego kroku" i pomyślał o dwu odmiennych sposobach użytkowania rozumu. Wykorzystujemy go do poznawania i przekształcania świata zewnętrznego – po to, by przetrwać lub lepiej żyć. Tutaj jest wbudowany wewnętrzny mechanizm korekty. Jeśli popełnimy błąd, źle poznamy świat i w rezultacie nie osiągniemy założonego celu. Rozumu używamy jednak również po to, by mieć dobre samopoczucie. Wymyślamy sobie teoryjki na uzasadnienie naszych pragnień, uczuć, uczynków. Tu nie ma mechanizmu zwrotnego, stąd możliwe zakłamanie. Raz jeszcze przypomniał sobie swój „pierwszy krok" na Farmie i Marka, który go skrytykował. Uznał, że po to, by samemu się nie oszukiwać, człowiek potrzebuje drugiej osoby.

W. przypomniał sobie też słowa ojca sprzed wielu lat. Był już na studiach, ale wciąż mieszkał z rodzicami. Gdy wracał nad ranem, mniej więcej sto metrów od domu trzeźwiał ze strachu przed ojcem. Sprawnie przechodził przez płot, aby nie budzić dozorczyni, cichutko otwierał drzwi, rozbierał się, mył i kładł się spać w swoim pokoju, nie budząc rodziców. Pewnego razu w pokoju ojca paliło się światło. W. od razu poszedł do siebie, ale ojciec go zawołał i powiedział: „Wiesz co, to właściwie nie jest wcale takie straszne, że się zapijesz i załajdaczysz na śmierć. Najgorsze jest to, że sobie to wszystko logicznie wytłumaczysz i uzasadnisz". Teraz W. poczuł żal, że strach nigdy nie pozwolił mu skorzystać z mądrości i przenikliwości ojca.

Tego wieczoru niczego nie zapisał w dzienniku. Powrócił jedynie do wczorajszej notatki i pod drugim punktem dopisał innym kolorem:

Muszę na to bardzo uważać, bo w tym jest wiele zwalania winy, złości i wypierania się samego siebie. Ale jak nie być złym na system?

DZIEŃ CZTERNASTY, WTOREK

Obudził się inaczej niż zwykle. Odkąd pamiętał, wstawał z poczuciem winy, ze wstydem, z lękiem, co też nadchodzący dzień na niego sprowadzi, czasem ze złością, przeważnie z poczuciem samotności. Tym razem nie doznawał żadnego z tych uczuć, lecz spokój i ciekawość, co nowego przyniesie dzień. Jakby już wiedział, że jest na dobrej drodze, i ta wiedza zmieniała koloryt jego uczuć.

Wracając ze śniadania, zobaczył wschodzące słońce. Uświadomił sobie, że ostatni raz widział wschód słońca wiele lat wcześniej. Pomyślał, że słońce musiało przecież wschodzić codziennie w ciągu ostatnich dwu tygodni; przeważnie już był wtedy na nogach, ale nigdy dotąd tego nie zauważył. Poszedł na poranne medytacje. Na trawniku pomiędzy barakami stało w kręgu dwadzieścia parę osób. W. dołączył do nich. Wszyscy wzięli się za ręce i pomodlili się o pogodę ducha. Następnie czytali fragmenty do przemyśleń. Pierwsza była „Myśl AA na dzisiaj" i dotyczyła doświadczenia duchowego; miało ono polegać na uzyskaniu kontaktu z siłą wyższą. Ta siła nie była jednak zdefiniowana; była za to mowa o pragnieniu uzyskania tego kontaktu, uczciwości oraz otwartości umysłu jako warunkach wyzdrowienia.

Właściwa medytacja mówiła już bezpośrednio o Bogu oraz o łasce. Łaska działa z równą siłą wobec każdego, ale człowiek może ją do siebie dopuścić bądź nie. Bóg szanuje wolną wolę, dając każdemu prawo przyjęcia lub odrzucenia jego cudownej mocy. Toteż w modlitwie AA na ten dzień zawarta była prośba o to, by nie ograniczać działania łaski i mieć umysł otwarty na wpływ boży.

Po odczytaniu tych myśli nastąpiła chwila przerwy na zastanowienie się. W. nie odrzucał już słów dotyczących Boga i siły wyższej, ale wciąż nie miały one dla niego treści. Chciał zrozumieć, czym jest owa siła, która odgrywa tak wielką rolę w trzeźwieniu. Postanowił dać sobie na to trochę czasu, a także popytać innych. Na razie słuchał dalszych tekstów. Jeden mówił o „krokach AA", których W. też nie bardzo rozumiał. Ostatni dotyczył potęgi myśli. Nasze myśli wywierają wpływ na nasz charakter i życie: pozytywne myśli przyczyniają się do sukcesu, a negatywne przysparzają niepowodzeń. W. znał liczne teorie o potędze pozytywnego myślenia, popularne w Ameryce już na początku dwudziestego wieku. W swojej pierwszej książce poświęcił im cały rozdział. Ale wtedy był do nich nastawiony krytycznie. Teraz słuchał z uwagą. Po medytacji podszedł do Sama, by zobaczyć, z jakiej książki to odczytał. Później poszedł do sklepiku i kupił ją. Nazywała się „Każdego dnia – nowy początek". W. polubił tę książeczkę, mimo iż okazało się, że została napisana specjalnie dla trzeźwiejących kobiet.

Medytacje zakończyły się znów – jak wszystkie spotkania społeczności, grup terapeutycznych i małych nieformalnych grup – w kręgu ludzi trzymających się za ręce. Tym razem odmówiono modlitwę „Ojcze nasz". Potem wszyscy brali się wzajemnie w objęcia. W. nadal czuł pewne zakłopotanie, ale bez porównania mniejsze niż na początku. Gdy ściskał się z kimś, kogo lubił, czuł przyjemne fale przepływające w obie strony. Wracając, postanowił zapytać, dlaczego niektóre spotkania grup kończyły się modlitwą AA o pogodę ducha, a na innych odmawiano „Ojcze nasz".

Na porannym zebraniu społeczności Linda kazała narysować socjogram. Na środku kartki trzeba było umieścić siebie, a wokół – liczących się ludzi i wartości. W. narysował kilka kręgów: obok siebie Ewę i obie córki – ich i Ewy z poprzedniego małżeństwa – swoją matkę i najbliższego przyjaciela. W tym samym kręgu prostokątami zaznaczył trzeźwość i osobno AA, do którego zaczynał się przekonywać. W drugim rzędzie inni przyjaciele, w tym także ludzie z Farmy. Potem, wewnątrz okręgu zajmującego niemal całą kartkę, byli z rzadka porozrzucani dalsi znajomi. Linia okręgu oddzielała ludzi, do których czuł przywiązanie, poza nią mieli znaleźć się ci, do których żywił urazę lub którzy go irytowali. Na kartce W. nikt nie znalazł się poza okręgiem, ale na samej linii umieścił nieżyjącego już ojca i jeszcze kilka osób, w tym kobietę, z którą kiedyś miał romans; umieścił tam także swoją pracę. Pod okręgiem narysował linię poziomą; pod nią znalazły się dwie kobiety, które wypierał z pamięci z powodu dojmujących wyrzutów sumienia.

Gdy wszyscy wykonali zadanie, Linda zadała kilka pytań. Czy na rysunku jest Bóg lub inaczej rozumiana siła wyższa? U W. nie było. Ile miejsca zostawiliście dla siebie? Kto na was wchodzi? Pamiętajcie, że potrzebujecie wiele przestrzeni, żeby się rozwijać. W. zauważył, że trójkąt oznaczający jego samego był bardzo mały, mniejszy niż u innych. Poza tym wokół niego w ogóle nie było miejsca: rodzina oraz nowe powinności wobec trzeźwości i AA przylegały do niego dokładnie. Poczuł się tak, jakby oblał ważny egzamin.

Później Linda poradziła, by każdy zaznaczył na rysunku osoby, którym powinien zadośćuczynić za wyrządzone im krzywdy. Na pytanie o zmarłych powiedziała, że można do nich napisać list, a następnie przeczytać go w grupie. W. zaznaczył kilka osób znajdujących się na okręgu, w tym ojca, do którego postanowił napisać list, oraz obie kobiety pod kreską. Wyszedł z sali dość przygnębiony, zarówno tym, co sobie przypomniał, jak i faktem, że nie zapewnił sobie przestrzeni do rozwoju.

Podczas popołudniowego zebrania grupy terapeutycznej z Lindą przedstawiło się dwóch nowych: Sam i Herbert. Najwięcej czasu poświęcono Rickowi, który przyjechał dzień przed W. Pomimo trzynastu lat abstynencji Rick nie mógł sobie poradzić ze sobą. Przez dwa tygodnie dostrzegł wiele cech i zachowań, o których nie myślał, i na niedzielnym spotkaniu grupy powiedział, że jego problemem chyba nie jest alkoholizm, lecz dewiacja seksualna. Wczoraj cztery osoby z grupy pracowały z nim nad tym i Rick zmienił zdanie: po spotkaniu oświadczył, że w ciągu dwóch godzin znowu przeistoczył się ze smutnego dewianta w radosnego alkoholika. Dzisiaj natomiast naszły go kolejne wątpliwości. Linda doradziła, żeby jednak trzymał się problemu alkoholizmu i pracował nad bezsilnością.

Linda spojrzała na wykres życia, który W. jej podał, i powiedziała, że porozmawiają o nim nazajutrz. Był rozczarowany, bo czuł, że od ostatniego spotkania z terapeutką w czwartek zdarzyło się w jego życiu więcej niż przez poprzednie dwadzieścia lat. Ale Linda kazała mu popracować nad zobowiązaniami. W. nie był pewien, o jakie zobowiązania chodzi, bo nie znał polskiego odpowiednika słowa *commitments*. Linda powiedziała, by jeszcze raz przeczytał plan leczenia, w którym jest sugestia, aby zastanowił się, jak i dlaczego w najróżniejszy sposób unikał podjęcia trwałych zobowiązań wobec kogokolwiek lub czegokolwiek.

W. chciał to zrobić zaraz po kolacji. Ale zdołał jedynie zastanowić się nad tym, dla jakich spraw czułby się zobowiązany poświęcić czas, wolność wyboru lub inne wartości, bo tak sobie przełożył *commitment*. Bez wahania wyszło mu na to, że tylko wobec swego narodu jako całości. Niczego nie poświęciłby grupie politycznej lub społecznej, religii bądź jakiemukolwiek kościołowi ani żadnej innej grupie ludzi. Poświęciłby się natomiast dla konkretnego, cierpiącego bliskiego mu człowieka.

Potem przeszedł do zobowiązań osobistych. To wymagało rozpatrzenia powikłanych związków z kobietami. Zdawał
sobie sprawę, że może to być trudne i bolesne. Na szczęście
Albert zwołał zebranie grupy i W. miał pretekst, żeby odłożyć
pracę nad sobą.

Albert był niesamowicie chudym, wysokim mężczyzną przed
trzydziestką. Przyjechał w poprzedni wtorek wieczorem.
Niezwykle inteligentny, doskonale argumentujący i jednocześnie całkowicie pozbawiony emocji. Opanował do perfek-
cji zdolność radzenia sobie ze światem i emocjami poprzez
ich nazywanie i intelektualne porządkowanie. Miał natych-
miastową odpowiedź na każde pytanie. Tylko wtedy, gdy Bill
zapytał go o wyznanie, zawahał się, zanim odpowiedział, że
rodzice są mormonami. Bill wiedział coś na ten temat i zapytał, czy opuszczenie domu i wiary przez syna nie jest
u mormonów tabu i czy alkoholizm Alberta nie jest przypadkiem powiązany ze złamaniem zakazu. Albert skurczył się
w sobie, jakby został na czymś przyłapany. Na dodatek Bill
zaskoczył go na jego terenie, w intelektualnej rozmowie. W.
zauważył, że gdy to nastąpiło, Albert wpadł we wściekłość.
Bill i W. wiedzieli, że nawiązali z nim kontakt. W. sądził też,
że go rozumie, bo pod wieloma względami przypominał mu
jego samego. Zobaczył w nim wspaniały intelekt w dziewięćdziesięciu pięciu procentach na służbie alkoholizmu, dostar-
czający wytłumaczeń i usprawiedliwień. Pięć procent umysłowości Alberta mogło działać na rzecz jego zdrowia. Bill
i W. mieli pewność, że trafili w te pięć procent i zapropono-
wali mu jeszcze jedno spotkanie, tylko we trzech. Zgodził
się. Bill starał się drążyć mormońskie tabu, a W. mówił
o własnych doświadczeniach z Farmy, dzięki którym zaczy-

nał wątpić w prawdziwość tego, co podsuwał mu intelekt. Ale Albert znów się wymknął i schował. Już nie odpowiadał na pytania, coś mruczał, mówił o czekających ich zaraz przekąskach. W. myślał, że dobrze by było jeszcze poruszyć przekonanie Alberta o własnej brzydocie, jego przywiązanie do czystości oraz bardzo wyrafinowaną dietę. Ale już było na to za późno.

Kiedy stało się oczywiste, że rozmowa do niczego nie doprowadzi, W. niezbyt chętnie zaproponował Albertowi uścisk. Ten nie odmówił ani go nie odepchnął. Tuż przed odejściem Albert coś sobie przypomniał: „Aha. To, co się stało w piątek na spotkaniu grupy monitorującej u Ann, było niesamowite. Nigdy w życiu ludzie nie dali mi tyle ciepła".

Przy przekąskach Herbert powiedział, że porównując uczestników grupy podczas spotkania bez Lindy i u niej, miał wrażenie, jakby to byli zupełnie inni ludzie. Z kolei dyżurny terapeuta Herb krótko podsumował istotę terapii na Farmie: „Tu przywracają cię do wieku dwunastu lat i pozwalają od nowa dojrzewać. A to wymaga pracy i wysiłku".

W. wrócił do pracy. Nazajutrz miał wyznaczoną konsultację u Grega na temat seksu, więc musiał popatrzeć na siebie również pod tym kątem.

Najpierw zapisał, że w jego domu rodzinnym seks uchodził za coś występnego i grzesznego, coś, co należy robić po ciemku, w tajemnicy i czego trzeba się wstydzić. Jednocześnie W. podejrzewał, że jego ojciec lubił seks i miewał kochanki. Przypomniał sobie swoje pierwsze zaciekawienia erotyczne, zawsze przepojone poczuciem winy, wstydu i grzechu. Masturbację, którą odkrył, mając chyba trzynaście lat, i w której natychmiast się rozsmakował, mimo poczucia winy. Nie mógł natomiast w ogóle przypomnieć sobie pierwszej, młodzieńczej miłości. Wszystko inne albo dobrze pamiętał, albo teraz wydobywał z zakamarków pamięci, nawet zdarzenia i sprawy najbardziej skrywane i wstydliwe, a tego akurat nie mógł. Pomyślał, że może w ogóle nie miał pierwszej miłości, choć wydawało mu się to pozbawione logiki, bo nie można od razu mieć drugiej. Wiedział, że musiał przeżyć jakieś uczucie przed wielką miłością za granicą, ale nie umiał go znaleźć. Za to przypominał sobie pierwsze doznania seksualne z kobietami, przeważnie od niego starszymi. Te stosunki nie miały wiele wspólnego z miłością, odbywały się po pijanemu, nie dawały mu też rozkoszy. Szukał jej bezskutecznie, goniąc za przygodami. Teraz, myśląc o tym, zdał sobie sprawę, że w seksie nie chodziło mu o orgazm; ten załatwiał sobie sam. Bardzo chciał dać orgazm kobiecie, a kiedyś we wczesnej młodości usłyszał, że w tym celu nie można za wcześnie skończyć. Toteż jego stosunki zawsze były długie, jakby wymuszone, ale dla niego samego niesatysfakcjonujące. Nie chodziło mu też o przyjemność fizycznego obcowania. Najprawdopodobniej zależało mu na tym, by czuć się chcianym przez kobiety, bo w ten sposób oszukiwał swój lęk przed odrzuceniem. Ale po zdobyciu kobiety nie był już nią zainteresowany i szukał nowej przygody. Czasem nawet tego samego dnia.

Przeżył wielką miłość, gdy miał dwadzieścia lat, ale gdy uczucie miało się spełnić – uciekł. Dwa lata później – następną, z zamężną kobietą mieszkającą za granicą. Niedługo potem związał się z nieco tylko od siebie starszą koleżanką z uniwersytetu. Bardzo miła, inteligentna, miała lekką skłonność do rozmyślań i depresji. Była bardzo zauroczona W. On jednak nie był zdecydowany; lubił ją, ale chyba nie chciał za bardzo się wiązać, nie był wierny, a jednocześnie czuł się skrępowany jej rodzinną zamożnością. Jak gdyby paraliżowała go myśl, że ktoś mógłby pomyśleć, że związał się dla pieniędzy. Miał wtedy dwadzieścia dwa lata, robił doktorat, prowadził zajęcia ze studentami, którzy bardzo go lubili, zaczynał publikować i te sukcesy uderzały mu do głowy. Więcej pił, stawał się agresywny i coraz bardziej histeryczny. Po półtora roku ich związek zamienił się w pasmo zerwań i powrotów, zawsze zresztą inicjowanych przez W., który – jak teraz dostrzegł – mógł w ten sposób stale potwierdzać, że jest chciany. Aż wreszcie kiedyś jego partnerka, zmęczona tą relacją, pojechała sama na wakacje, tam poznała poważnego faceta, a po powrocie oświadczyła W., że wychodzi za mąż. W. to zaakceptował; po powrocie do domu przeżył bezsenną noc, próbując sobie wmówić, że ona nie jest mu wcale potrzebna do szczęścia.

Później był związek z inną kobietą, ubarwiany dziesiątkami jednorazowych przygód. Chciał się z nią ożenić, a może tylko tak mówił, bo w gruncie rzeczy wiedział, że gdyby to nastąpiło, uciekłby natychmiast, jak kiedyś z Rumunii. Miewał wiele przygód, niektóre kobiety rozkochiwał w sobie, a później je rzucał. Niekiedy było to bolesne, czasem niebezpieczne. Mając chyba dwadzieścia siedem lat, był wtedy już dość znanym autorem. Kiedyś napisał długi esej o potrzebie przywrócenia szacunku dla wartości moralnych. Po jakimś czasie dostał list adresowany do redakcji. Autorka pisała, że była pod wielkim wrażeniem tego artykułu. Jednak zupełnie zaszokowało ją, że to właśnie on go napisał. Ton listu nie pozostawiał żadnych wątpliwości, że była to kobieta, którą W. wykorzystał i porzucił. Ale w żaden sposób nie potrafił sobie skojarzyć, kim ona była.

Mając trzydzieści lat, zaproponował na kacu małżeństwo nieznajomej przedtem kobiecie. Gdy wyraziła zgodę, W. nie potrafił wycofać się z żartu, ożenił się, wydał huczne wesele, po czym nadal pił aż do rozpadu małżeństwa w dwa miesiące później. Którejś nocy miał sen. Śniło mu się dziecko. To on był tym dzieckiem. Nagle na szczycie głowy dziecka pojawił się guz, który rósł w dość szybkim tempie. Zamienił się w wielki ropiejący wrzód. Kiedy pękł, z wnętrza wrzodu-głowy wyłonił się szczur. Przerażony W. przyjrzał mu się lepiej i zobaczył, że szczur ma jego rysy twarzy, że sam jest tym szczurem.

W. nie potrafił się opanować ani wtedy, ani teraz, gdy przypomniał sobie ten sen. Nie mógł już dłużej pracować. Położył się, ale nie mógł spać. Widział szczura-siebie. Aż wreszcie przypomniał sobie słowa Herba. Pomyślał, że może tu dostać drugą szansę i nie musi już tak żyć. Przypomniał sobie piątkową obietnicę wierności i poczuł się lepiej. Ale i tak jeszcze długo nie mógł zasnąć.

DZIEŃ PIĘTNASTY, ŚRODA

Rano był wykład na temat zachowań kompulsywnych. Wygłaszał go Frank, dość wysoki, bardzo szczupły brodacz, o młodzieńczym wyglądzie i twarzy zdradzającej ogromne doświadczenie. Określił zachowania kompulsywne jako nieuświadamiany przymus wykonywania działań, które są destrukcyjne lub bezużyteczne, a przez to irracjonalne. Osoba kompulsywna odczuwa niepokój bądź cierpienie, dopóki nie wykona obsesyjnego działania. Takie zachowania wykazują tendencję do rytualizacji, na przykład ludzie w identyczny sposób i w podobnych sytuacjach obgryzają paznokcie albo zaczynają codziennie pić o piątej po południu. Kompulsja jest również progresywna. W przypadku kompulsywnego picia oznacza to nie tylko konieczność coraz częstszego picia coraz większej ilości trunków, ale przede wszystkim coraz większe cierpienia w przypadku niemożności zaspokojenia tego przymusu oraz coraz większe szkody wyrządzane przez picie. Zdaniem Franka, raz wytworzona kompulsja pozostaje na zawsze, toteż potrzebna jest ustawiczna terapia. Na szczęście leczenie alkoholizmu jest przyjemne, więc zebrani nie powinni się martwić – zakończył.

Wszystkie wykłady na Farmie trwały nie dłużej niż pół godziny, bo tylko tyle czasu można skupiać uwagę. Potem następował równie długi, a czasem jeszcze dłuższy czas pytań i dyskusji. To właśnie z tej części zajęć zebrani najwięcej sobie przyswajali i zapamiętywali. Tym razem padło bardzo wiele pytań. Na przykład, czy wszystkie kompulsje są trwałe i czy zawsze niezbędne jest ustawiczne leczenie. Choćby palenie papierosów; gdy ktoś się raz odzwyczai, to czy musi później stale się odzwyczajać? „Nie musi – odpowiedział Frank. – Ale nie może powrócić do niekompulsywnego palenia". Erik zapytał, czym się różni alkoholizm od cukrzycy, skoro jedno i drugie wymaga stałego leczenia. „Cukrzyk chodzi do lekarza i bierze leki, ale nie potrzebuje grupy wsparcia tak jak jej potrzebuje alkoholik" – odpowiedział Frank. Wynika to z tego, że cukrzyca jest chorobą organizmu, której nie towarzyszy obsesja umysłowa, zmuszająca do powtarzania kompulsywnych zachowań.

Najwięcej pytań dotyczyło oczywiście picia i alkoholizmu. Czy istnieje coś takiego jak picie niekompulsywne? Oczywiście. To jakie są symptomy picia kompulsywnego? Na przykład zaczynanie picia codziennie o tej samej porze.

Albo wypijanie alkoholu przed wyjściem na przyjęcie, gdzie też będzie alkohol.

To wyjaśnienie zadziwiło wszystkich obecnych. Każdy bowiem wypijał sobie dla kurażu przed wyjściem. Frank odpowiedział pytaniem: „A czy przed wyjściem do restauracji na obiad też coś zjadacie?". Dodał, że warto odróżnić tak zwane picie towarzyskie od picia w towarzystwie. Bo wielu alkoholików pije kompulsywnie w towarzystwie, oszukując się, że to picie towarzyskie. Dla kogoś, kto pije towarzysko, nie ma wielkiego znaczenia, czy tam, dokąd idzie, będzie alkohol czy nie. Przychodzi odwiedzić znajomych, a nie ich barek. Może upić odrobinę z kieliszka i nie musi opróżnić go do końca. Alkoholik tego nie potrafi. Jeżeli chcecie zobaczyć, kto ma problem z alkoholem, popatrzcie na końcu przyjęcia, gdy wszyscy goście już wstają od stołu, kto pośpiesznie dopija swój kieliszek.

Ostatnie pytanie dotyczyło tego, czy ktoś, kto pije towarzysko, może się upić. „Tak, ale tylko raz. Jeżeli ktoś się upije po raz drugi, powinien zacząć myśleć, że może zaczyna się bardzo powolny proces progresji alkoholizmu. Każdy z nas zaczął pić kompulsywnie bardzo dawno temu, tyle tylko że przez dziesiątki lat nie mieliśmy poważniejszych objawów i dawaliśmy sobie z tym jakoś radę" – powiedział Frank na zakończenie zajęć.

Frank dodał też, że w przypadku obsesyjnego seksu trudno o relację z drugim człowiekiem. Przedmiotem i treścią kompulsywnego seksu jest bowiem sam akt, a nie miłość bądź przyjaźń. W ten sposób W. znalazł wyjaśnienie wielu swoich relacji z kobietami. Poszedł opowiedzieć o nich Gregowi.

Greg był jeszcze wyższy niż Frank, ale nie tak szczupły i dużo młodszy. Na twarzy miał młodzieńczy uśmieszek, który ośmielał W. do wyznań. Ale mimo to W. bardzo bał się tego spotkania.

Greg wysłuchał go uważnie, po czym powiedział, że nie ma w jego opowieści nic szczególnego. Niemal każdy alkoholik ma podobne przeżycia seksualne. Poczucie odrzucenia jest wśród nich powszechne, a na dodatek zostaje spotęgowane przez alkoholizm, pijackie ekscesy i poczucie winy. Alkoholizm w połączeniu z niezdolnością do trwałych związków prowadzi do rozwiązłości i licznych przygód. Zazdrość wśród alkoholików też jest powszechna, głównie ze względu na niskie poczucie wartości oraz własną nieuczciwość i zdrady. Onanizm prowadzi do zmniejszenia napięcia, trudno się dziwić, że nasila się wraz z postępami choroby i stałym napięciem. Opóźniony orgazm to niemal kliniczny objaw alkoholizmu. Nawet dramatyczny przypadek sprzed dwudziestu lat, który W. wydobył z niepamięci podczas rozmowy z Susan, nie wywarł – zdaniem Grega – wpływu na seksualność W., chociaż zapewne zaciążył na jego poczuciu własnej wartości.

W. wyszedł od Grega z wrażeniem ulgi. Pomyślał, że wcale nie jest złym i grzesznym człowiekiem, lecz po prostu alkoholikiem. Zauważył, że coraz częściej myśli o tym z ulgą, a przecież do niedawna gotów był na wszystko, byle tylko nie uznać swego alkoholizmu.

Powiedział o tym podczas popołudniowego spotkania grupy z Lindą. Przedstawił również swoje lęki, poczucie odrzucenia oraz relacje z kobietami. Linda zapytała, czy rozumie już, że nigdy nie chciał się z nikim związać, i czy już wie dlaczego. W. z ociąganiem odpowiedział, iż pewnie nie chciał, aby związek z kimkolwiek przeszkadzał mu w piciu. Linda dodała, żeby jeszcze raz przyjrzał się relacjom z Ewą, zwłaszcza że nazajutrz miał wyznaczoną sesję rodzinną przez telefon. Dobrze by było, żeby przed tą rozmową zdecydował się, czy chce z nią być. Jeśli tak, to pewnie będzie pierwsza świadoma i doniosła decyzja w jego życiu. Potem zapytała, czy W. nie obawia się, co będzie po wyjściu z Farmy. Gdy powiedział, że nie, Linda zażądała, by W. poprosił o pomoc grupę. Okazało się, że W. w ogóle nie pomyślał o tym, czy w Polsce istnieje AA. Niby zaczynał zdawać sobie sprawę z tego, że bez AA może być trudno utrzymać trzeźwość, ale jeszcze nie docierało do niego, że jest to niemożliwe. Bill powiedział, że obawia się o pracę W., gdyż jego pisanie może być ściśle zrośnięte z alkoholizmem. Niewykluczone, że W. powinien zmienić rodzaj zajęcia. Gdy Erik poparł Billa, mówiąc, że jego zdaniem W. jest uzależniony od pisania, ten bardzo się zdenerwował.

Potem Linda powiedziała, że Rick znów zaczął się wahać co do swej identyfikacji, nie mogąc się zdecydować, czy jest alkoholikiem, czy dewiantem. Personel uznał, że mają za mało podobnych doświadczeń, toteż postanowili szukać dla niego innego ośrodka, wyspecjalizowanego w leczeniu alkoholików z jednoczesną dewiacją seksualną.

Podobnie było z Julią z innej grupy, która przyjechała na Farmę przed tygodniem. Tego dnia dostała diagnozę. Okazało się, że Julia chce wytrzeźwieć wyłącznie dla swoich kotów. Ją od razu posłano do innego ośrodka, zajmującego się tworzeniem motywacji do leczenia.

„A ty po co chcesz wytrzeźwieć?" – Linda zwróciła się do Billa. Bill też nie wiedział. Mówił o żonie, ale bez przekonania.

I słusznie, bo przynajmniej połowa grupy już wiedziała, że nie sposób wytrzeźwieć dla drugiego człowieka. A dokładniej – z różnych powodów, nawet dla psa lub kotów – można przestać pić. Ale dla psa, dla drugiego człowieka, dla Sprawy trudno utrzymać trzeźwość. Kiedy przychodzi chwila, gdy ssie w dołku, gdy nadchodzi zwątpienie, gdy każda komórka domaga się lekarstwa, jakim jest alkohol – wszystkie powody, dla których ktoś przestał pić, okazują się niewystarczające. W takiej chwili utrzymać trzeźwość można tylko dla siebie. Każdy pacjent przyjeżdżał na Farmę z powierzchowną i zewnętrzną motywacją – jeden chciał przestać pić dla żony, inny – bo kazał mu pracodawca, a W. z powodu wątroby. Toteż jednym z zadań terapii była zmiana tej motywacji na taką, w której trwałe utrzymywanie trzeźwości byłoby podporządkowane wewnętrznemu celowi. I właśnie Bill stanął w obliczu pytania, po co miałby pozostawać trzeźwy dla samego siebie. Nie wiedział. Inni uczestnicy grupy zaczęli go wypytywać, co cenił i lubił, zanim zaczął pić. Bill nie pamiętał niczego, oprócz hazardu, który zresztą też wiązał się z piciem.

Wieczorne spotkanie grupy zwołała Laura. Dostała diagnozę, w której zalecono jej, by uczciwie odpowiedziała na pytanie, kim jest. Laura zdała sobie sprawę, że w jej własnym życiu jej samej niemal w ogóle nie ma. Zawsze była w cieniu męża. Nigdy go za bardzo nie kochała, ale trwała w małżeństwie. Kilka dni temu wierzyła, że broni w ten sposób swoich marzeń. Teraz sądzi, że broniła obrazu samej siebie oraz swej władzy w rodzinie. Ale mąż też jej nie kochał. Sam wytrzeźwiał w AA. Gdy dostrzegł, że pił głównie z powodu wyrzutów sumienia wobec Laury, odszedł od niej. A ona została z niczym. Nie jest nawet pewna, czy nie przyjechała na Farmę tylko po to, by pójść śladem męża. Nie wie, kim jest. Wie tylko, że sama musi dopiero teraz zacząć budować swoją tożsamość.

DZIEŃ SZESNASTY, CZWARTEK

Znów obudził się bez poczucia winy i lęku. Przeciwnie, odczuwał miły nastrój oczekiwania: jak gdyby coś dobrego miało się zdarzyć. Pomyślał, że chciałby zawsze budzić się w takim nastroju. Przypomniał sobie wczorajszy problem Billa i pomyślał, że on sam ma już jeden wewnętrzny powód, by zachować trzeźwość.

Wracając ze śniadania zauważył, że słońce wschodziło nieco później i gdzie indziej niż przedwczoraj: wtedy wychylało się tuż obok rosnącego przy ogrodzeniu drzewa, a dzisiaj dokładnie za nim. Uświadomił sobie, że ma trzydzieści osiem lat, a nigdy przedtem tego nie zauważył. Owszem, zajmując się nauką, wiedział coś o astronomii, planetach i gwiazdach, patrzył na nie, ale ich nie widział. Poczuł się jak ślepy, któremu otwierały się oczy. Miał drugi powód, by nie pić.

Poszedł na medytacje, już mniej z ciekawości, a bardziej z potrzeby. Połowa czytanych tekstów dotyczyła AA, a połowa – kontaktu z siłą wyższą, dzięki której można uzyskać moc potrzebną do rozwiązania każdego problemu. W. nie rozumiał ani jednego, ani drugiego. Czuł tylko, że obie sprawy są ze sobą powiązane, ale nie wiedział jak. Za to całkowicie już opuściła go niechęć wobec uścisków, przeciwnie, czuł fizycznie ciepło i jakąś energię przechodzącą między nim a ludźmi, których brał w objęcia. Trzymał ich długo, jakby chciał wziąć jak najwięcej tej energii. Miał wrażenie, że pękała wówczas skorupa zawsze oddzielająca go od innych. Ktoś powiedział, że W. rozdaje teraz uściski jak niedźwiadek. W. sprawiło to przyjemność.

Ale po porannym wykładzie znów się pogubił. Rob mówił o akceptacji. Zaczął od mechanizmu zaprzeczania i dostarczanych przez intelekt wymówek, typu „piłem, bo...". Bo szef mnie wkurzył, bo samochód się zepsuł, bo spotkała mnie krzywda, bo... W rzeczywistości to, co uważamy za powody picia, stanowi wymówkę, żeby się napić. „Często też litujemy się nad sobą albo odwrotnie – sycimy w sobie złość właśnie po to, żeby się napić" – powiedział Rob, a W. zaczął zdawać sobie sprawę, że czasem, pod koniec okresu niepicia, sam prowokował kłótnię i szedł pić.

Rob powiedział, że po to, by poradzić sobie z chorobą, trzeba przełamać ten mechanizm zaprzeczania oraz przestać uważać się za wszechmocnego. Jedynym sposobem wygrania z alkoholem jest uznanie własnej porażki. „Wyobraźcie sobie boksera wagi muszej, który wychodzi na ring walczyć z przeciwnikiem wagi ciężkiej. Dostaje cios i pada. Po walce myśli, że to dlatego, że za mało trenował. Trenuje więcej, wychodzi na ring i znów przegrywa. Teraz myśli, że za mało jadł. Lepiej się odżywia, ale sytuacja znów się powtarza. I będzie się powtarzać do czasu, aż uzna, że przeciwnik jest od niego silniejszy, i w ogóle przestanie z nim walczyć. Równie beznadziejnie alkoholik walczy o zwycięstwo nad alkoholem, ale ono jest niemożliwe. Może jednak żyć szczęśliwie, jeśli skapituluje i w ogóle przestanie pić alkohol" – powiedział Rob.

Na koniec dodał, że trzeba odróżnić prawdziwą kapitulację od udawanej. Czasem pacjenci robią wszystko, co zaleca im personel, tylko po to, by sprawić na terapeutach dobre wrażenie. Nawet próbują domyślać się, czego się od nich oczekuje, i starają się to robić. W ten sposób intelekt znów wraca na służbę choroby, oszukując nie tyle personel, co chorego. Są wzorowymi pacjentami, ale wszystko to jest powierzchowne. Jeśli terapeuci to rozpoznają, mogą skonfrontować pacjenta z faktami. W ostateczności lepiej kogoś takiego w ogóle usunąć z terapii, niż pozwolić mu ukończyć ją z poczuciem, że się leczy. Rzecz w tym, że im inteligentniejszy pacjent, tym trudniej u niego rozpoznać takie udawanie.

W. przestraszył się. Od kilku dni miał wrażenie, że idzie jak burza. Zrobił masę porządków ze swoją przeszłością, śmiało o niej opowiedział, nawet polubił uściski. Cieszył się, gdy chwalili go terapeuci, zwłaszcza Ann i Greg. Inni pacjenci też zaczęli go inaczej słuchać, czasem pytali o radę lub prosili o pomoc. Przecież był tu już dłużej niż połowa pacjentów. Czuł się jak prymus. A teraz pomyślał, czy to wszystko nie jest przypadkiem udawane.

Laura zaczęła zbierać opinie innych pacjentów na swój temat. Przeczytała to, co jej napisali, i rozpłakała się. Znalazła wiele pozytywnych uwag. Ale Laura sama o sobie tak nie sądzi. Myśli, że ma wiele wad, które tak starannie ukrywa, że nawet tutaj ludzie się na niej nie poznali.

Mark dostał wiadomość, że go właśnie zwolniono z pracy za pijaństwo. Ma w tej sprawie mieszane uczucia, ale raczej akceptuje tę decyzję jako otwarcie drogi do nowego życia. Poważniej przeżywa problem ze swoją partnerką Tamarą, która jest w Arizonie. Mark nie wie, czy ma ją ściągnąć na Farmę na sesję rodzinną, czy nie. Zdał sobie sprawę, że Tamara bez przerwy tkwi w nim, a on jest myślami daleko stąd. Grupa nie potrafiła mu pomóc, więc Mark przedstawił ten sam problem na popołudniowym spotkaniu z Lindą. W. wyszedł z tego spotkania po dwudziestu minutach. Punktualnie o drugiej miał własną sesję rodzinną – przez telefon z Ewą. Gdy wychodził, wszyscy dodawali mu odwagi. Sesje rodzinne odbywały się w obecności terapeuty. Zbyt wiele konfliktów nagromadziło się między partnerami w latach picia, by mogli rozwikłać je samodzielnie. Terapeuta prowadził więc sesję, której celem było przede wszystkim zorientowanie się, czy pacjent po powrocie do domu będzie miał warunki sprzyjające utrzymaniu trzeźwości i czy najbliżsi będą z nim współpracować.

Terapeutą wyznaczonym do prowadzenia sesji W. był Frank. W jego gabinecie do tego samego gniazdka zostały podłączone dwa aparaty telefoniczne, przy jednym był W., przy drugim Frank, a w Warszawie – Ewa.

Przygotowując się do tej rozmowy, W. starannie zanalizował ich wzajemne relacje. Przypomniał sobie nagły, obustronny wybuch namiętności przed ponad sześcioma laty. Jego ucieczkę z tego związku, narodziny córki, jego rzadką obecność w jej dzieciństwie i późniejsze lata przepychanek, pijaństw, przeprosin, ucieczek i powrotów. Tym razem jednak W. trafił na twardą partnerkę. To ona od niego odchodziła, gdy tylko zaczynał pić. W. miał do niej o to żal, ale teraz zobaczył, że w ten sposób broniła siebie i córki przed jego alkoholizmem. Podobnie zanalizował inne powody swoich pretensji wobec Ewy i uznał, że będzie mógł się ich wyzbyć. Jednocześnie po raz pierwszy w życiu zobaczył, że to ona miała powody, by żywić urazę wobec niego. Obok ucieczek, ekscesów i alkoholizmu uznał także swój pracoholizm za coś, co ich dzieliło. A przecież był ze swojej pracy tak dumny, a i ona zakochała się w nim podobno dla jego umysłowości i twórczości. Zapisał też sobie, co ich łączy. Gdy zobaczył, że jest tego wiele, poczuł, że kocha Ewę, i zapragnął z nią być. Z tym pragnieniem czekał na telefon w pokoju Franka. Niepokoił się, czy Ewa przyjmie wyciągniętą rękę.

Na początku Ewa powiedziała, że dostała paszport, więc będą mogli razem odbyć podróż po Europie planowaną w drodze powrotnej W. z Ameryki. Frank zapytał, czy Ewa czuje się partnerką W. Tak. Czy go kocha? Tak. Czy on też ją kocha? Też. Potem zapytał, czy Ewa zdaje sobie sprawę, że W. jest alkoholikiem. Ewa nie była tego pewna. Wtedy Frank zapytał ją, czy wie, że alkoholizm to choroba. Ewa nie zgodziła się z nim. Stwierdziła, że to raczej pewna cecha, taka na przykład jak trudność z nawiązywaniem kontaktu. Ale taką cechę można przełamać, jeśli ktoś chce. Frank zaczął jej tłumaczyć, że alkoholizm jednak jest chorobą. Ale nie było to łatwe, bo Ewa mu przerywała i dowodziła czegoś innego. Zgodziła się tylko z tym, że z alkoholizmem nie można sobie poradzić samą siłą woli, ale pozostała przy swoim zdaniu.

W. słuchał tej przedłużającej się dyskusji i czuł rosnącą wściekłość. Mądrzy się, jak zwykle, pomyślał. Tu jest facet, który zna alkoholizm na wylot, poświęcił pół życia leczeniu, a ona się z nim wykłóca. I gada bez końca, opowiadając swoje wymyślone, bezsensowne teorie. Przecież każda minuta rozmowy kosztuje kilka dolarów. Żeby przerwać tę debatę, W. wtrącił się i zapytał, czy Ewa dowiedziała się o AA w Polsce. Tak, AA istnieje, przeważnie przy szpitalach. Są też programy psychoterapeutyczne.

Nieco uspokojony, W. przypomniał sobie, po co tu przyszedł, i powiedział, że chciałby być z Ewą po powrocie do Polski i jest gotów potraktować swoje zobowiązanie poważnie. Frank zapytał, czy Ewa podjęłaby podobne zobowiązanie. Odpowiedziała, że w tej chwili nie może nic poważnego o tym powiedzieć. Frank uszanował jej zdanie i uprzejmie zakończył rozmowę.

W. wrócił na zakończenie zebrania grupy z Lindą. Gdy opowiedział przebieg rozmowy, Linda zapytała go, czy nie ma poczucia krzywdy, że Ewa nie odwzajemniła jego zobowiązania. Odpowiedział, że raczej było mu smutno. Linda zignorowała to stwierdzenie i od razu przeszła do planów podróży po Europie. Uznała, że to jest bardzo niebezpieczne dla trzeźwości. Przez pierwszy rok trzeźwiejący alkoholik powinien wystrzegać się jakichkolwiek zmian życiowych, podróży, a nawet urlopów, bo każdy stres może spowodować powrót do picia. Linda oburzyła się, że W. rozmawiał z Ewą o podróży, nie pytając wcześniej grupy o zdanie. W. odpowiedział, że mieli te plany od dawna, jeszcze zanim tu przyjechał, więc nie wiedział, że musi pytać grupę. Zniecierpliwiona Linda powiedziała, że musi o wszystko pytać, bo alkoholizm to choroba samowoli i samodzielnie to każdy może doprowadzić się jedynie do kolejnego pijaństwa. W. po raz pierwszy pomyślał, że trzeźwienie może ograniczyć jego wolność. Wystraszył się. Powróciła jego niechęć do AA z początku pobytu na Farmie. Zaczął obawiać się uzależnienia od ludzi, co do których żywił w najlepszym razie mieszane uczucia.

Potem długo nie mógł przyjść do siebie. Czuł powracającą irytację na gadatliwość Ewy i upór, z jakim wykłócała się z Frankiem. Odszukał go i zapytał o wrażenia z rozmowy z Ewą.

– Chyba dobry początek – powiedział Frank.

– No, ale te jej teorie. Czy ona w ogóle kiedykolwiek zrozumie, że alkoholizm to choroba?

– Zaraz, zaraz. A tobie ile czasu zajęło, żeby uznać, że jesteś alkoholikiem i że jest to choroba?

– Jak to?

– No, ile lat piłeś. A raczej, jak długo jeszcze piłeś od chwili pierwszych problemów.

– Dwadzieścia jeden lat.

– No widzisz. Pomimo wielu bolesnych doświadczeń uznanie tego, że jesteś chory na alkoholizm, zajęło ci dwadzieścia jeden lat. A teraz chcesz, żeby ona uznała to od razu, od pierwszej rozmowy, bo mówisz jej to ty albo jakiś nieznany facet z Ameryki. Daj jej trochę czasu.

W. uznał ten argument. Rzeczywiście, skąd Ewa miała wiedzieć cokolwiek o alkoholizmie jako chorobie. Miał nadzieję, że z czasem da się do tego przekonać i zrozumie. Poważniejszy wydawał mu się jej brak entuzjazmu wobec propozycji wspólnego życia. Myślał, co może zrobić. Postanowił spróbować wspólnego zamieszkania. Ale co będzie, jeśli odmówi? Czy ma wtedy czekać, aż ona się do niego przekona, czy odejść od niej do swojej trzeźwości? Nie umiał odpowiedzieć na te pytania, więc zaczął zastanawiać się nad planami podróży.

Nie myślał o niebezpieczeństwach, o których mówiła Linda. Wydały mu się wydumane. Przecież wiosną, jeszcze zanim przyjechał na Farmę, Ewa była u niego, razem jeździli po Ameryce i W. wcale nie pił. Zdawał sobie jednak sprawę ze słabości tego argumentu i szukał innych, którymi mógłby przekonać grupę. Jeden to ten, że miał już bilet na statek, kupiony za złotówki, którego nie mógł wymienić. Ale to był słaby argument, bo mógł przecież kupić bilet na samolot prosto do Polski. Drugi argument to ten, że jak wróci do Polski, będzie musiał oddać paszport i mogą go już nie wypuścić. Trzeci, że należą mu się jakieś wakacje.

Dostrzegał słabość tych argumentów. Postanowił zaproponować kompromis, możliwy do zaakceptowania przez grupę. Zrezygnuje z popłynięcia polskim frachtowcem z Baltimore do Amsterdamu, bo na statku przecież wszyscy piją i nie wytrzyma. Poleci samolotem. W Amsterdamie spotkają się z Ewą, kupią samochód i pojadą w podróż do Francji, Hiszpanii i Włoch, zatrzymując się tylko w takich miejscowościach, w których są spotkania AA w znanych W. językach. Adresy takich grup miał wziąć w centrali AA w Nowym Jorku przed powrotem do Europy.

Uspokojony, przypomniał sobie, że Linda kazała mu o wszystko pytać grupę. Uśmiechnął się, bo przecież ponad tydzień temu Jack omal nie wyleciał karnie z kuracji, gdy okazało się, że przez tydzień po przyjeździe na Farmę nie mógł zrobić kupy i nikomu o tym nie powiedział. Wtedy W. śmiał się z tego, że tutaj trzeba opowiadać się z kupy lub jej braku. Ale teraz zaczęło do niego docierać, że to może być coś poważnego. Zaczął więc robić listę czekających go po wyjściu z Farmy problemów, które powinien omówić z grupą.

Postanowił narzucić sobie schemat, wypracować codzienny plan dnia. W planie tym umieścił spotkania AA, przerabianie „kroków", medytacje. Pomyślał, żeby kupić w sklepiku książki i kasety, z których będzie się uczył, jak żyć. Drugi problem dotyczył tego, po co ma być trzeźwy. Nie widział jeszcze zbyt wielu powodów. Pamiętał, że chciał się budzić bez poczucia winy i wyrzutów sumienia, oglądać wschody i zachody słońca. Pomyślał, że chciałby się zainteresować sztuką, ale pozasłowną, bo całe jego uzależnienie było werbalne.

Myślał też o dalszych planach. Właśnie dowiedział się, że przez pierwszy rok nikt nie powinien robić wielkich zmian w życiu, ale W. czuł, że musi przeorganizować całe swoje życie. Nie miał pewności co do związku z Ewą. Nie wiedział też, co będzie robić zawodowo. Gdzie pracować? Co pisać? Czy w ogóle pisać? Przypomniał sobie, że jeszcze przez siedem lat będzie podlegać obowiązkowi pracy, wprowadzonemu wraz ze stanem wojennym. Przestraszył się, że mogą go posłać do pracy, której nie zechce. To doprowadziło go do potrzeby przemyślenia stosunku do konfliktów politycznych w Polsce. Ogarnął go niepokój co do AA w Polsce. Jakie jest? Zaczął myśleć o emigracji. Ale co wtedy stanie się z jego matką? Z Ewą i z dziewczynkami? Poczuł straszny zamęt i zmęczenie. Skądś dochodziło do niego wrażenie, że gdy tylko zetknął się ze światem zewnętrznym, z jego problemami i konfliktami, natychmiast powrócił do krętactwa i manipulacji. Pomyślał, że najlepiej byłoby zostać tu, na Farmie, jak najdłużej. Ale zaraz zdał sobie sprawę z tego, że to też byłaby ucieczka od życia.

Wieczorem było odliczanie. Temat do zastanowienia brzmiał: „Za co mogę dziś być wdzięczny?". Każdy podawał jakieś powody. W. po raz pierwszy powiedział, że jest wdzięczny za to, że jest alkoholikiem, bo dzięki temu może znaleźć klucz do innych problemów życiowych. Gdy wszystkie grupy zebrały się razem i odczytano dziesiątki odpowiedzi na postawione pytanie, W. dodał jeszcze jedną: „Możemy być wdzięczni za samo to pytanie, bo uświadomiło nam, dla ilu rzeczy warto być trzeźwym". Prowadzący spotkanie Greg poradził, żeby pamiętać o tym zadaniu. On sam, gdy jest czymś zdenerwowany albo zaniepokojony bądź po prostu smutny, siada w fotelu i wylicza pięć rzeczy, za które może być wdzięczny. A ponieważ dwie emocje o przeciwnym znaku nie mogą ze sobą współistnieć, wdzięczność wypiera smutek, złość i przygnębienie. W. postanowił po wyjściu stąd codziennie wieczorem prowadzić krótki dziennik wdzięczności.

Już mniej niespokojny, zwołał zebranie swojej grupy. Chciał rozmawiać o podróży po Europie, ale powiedział też, jak sam się przyłapał na próbie manipulacji. Nikt z uczestników spotkania nie dał mu żadnej rady; raczej wyrażali obawy. Laura powiedziała, że kiedy po południu była mowa o podróży, znów zauważyła u W. silne dążenie do kontroli. Erik to podchwycił i doradził, by W. zastanowił się, na ile rzeczywiście jest kowalem własnego losu, a w jakim stopniu musi prosić innych o pomoc. A jeszcze lepiej, żeby przemyślał swój stosunek do AA. Grupa zaakceptowała to jako nowe zadanie dla W.

Ale on nadal myślał o podróży. Chyba najbardziej się bał powiedzieć Ewie, że nie może z nią pojechać, ale jednocześnie nie chciał przyznać się przed samym sobą do tego lęku. Poprosił Grega, który miał wieczorny dyżur, o radę. Greg powiedział, że nie uważa, by W. już dzisiaj kategorycznie musiał wyrzec się podróży po Europie. Przecież po wyjściu z Farmy spędzi miesiąc w Los Angeles. Jeśli tam będzie codziennie chodził do AA i umocni swoją trzeźwość, to chyba będzie mógł pojechać tam, gdzie są mityngi. W. ucieszył się i zapytał, czy będzie mógł z Gregiem jeszcze o tym kiedyś porozmawiać. Lubi go i mu ufa. Ale Greg w bardzo uprzejmy sposób odpowiedział, żeby W. więcej do niego nie przychodził. Bo on też polubił W. i boi się, że W. będzie do niego przychodził po pocieszenie, zamiast przeżywać ból. Albo W. będzie próbował Grega wykorzystywać po to, by manipulować samym sobą. Zaprosił go za to do siebie do domu, jeśli kiedykolwiek w przyszłości będzie przejeżdżał w pobliżu Farmy.

DZIEŃ SIEDEMNASTY, PIĄTEK

W. znów obudził się z kurczami, tym razem obydwu nóg. Było wpół do piątej. Chciał jeszcze pospać, ale nie mógł. Naszło go poczucie winy. Poprzedniego wieczoru okazało się, że dwoje pacjentów, Martha i Chris, złamali zakaz zbliżania się do siebie. W. od kilku dni wyczuwał, że między nimi rozwija się romans, ale nic o tym nie powiedział – ani im, ani komukolwiek. Teraz czekają ich poważne konsekwencje, może nawet usunięcie z ośrodka, i W. czuł się za to – jak zwykle, gdy działo się wokół niego coś niedobrego – odpowiedzialny. Na to wszystko nałożył się niepokój, który pojawił się wczoraj – po sesji rodzinnej i spotkaniu grupy. Te doświadczenia przekonały W., że nadal gubi się, i to nie tylko wtedy, gdy zetknie się ze światem spoza Farmy. Wstał i zapisał w dzienniku:

Potrzebuję więcej jasnych priorytetów i siły do ich realizacji. I chociaż wieczorne zebranie pomogło mi, to od rana znów odczuwam niepokój. Oznacza to, że potrzebuję AA.

Nie zmniejszyło to jego lęku.

Przy śniadaniu Erik podszedł się pożegnać przed wyjazdem po zakończonej kuracji. W. widział w nim silnego człowieka i długo się go bał. Teraz poczuł smutek i żal. Te uczucia wyparły jego własne niepokoje. Wrócił do siebie. Nie bardzo chciał iść na medytacje, choć dobrze wiedział, że akurat dzisiaj przydadzą mu się bardziej niż kiedykolwiek. Nie poszedł. Znów wyjął dziennik i zapisał:

Mam teraz dziwne uczucie. Mój dzisiejszy niepokój wiąże się ze świadomością, że jestem tu odizolowany od świata i nie mam żadnych problemów życiowych. Czyli jest tutaj tak, jak wtedy, gdy coś piszę. Co więcej, siedzę tu nad papierami i notatkami, przypominam sobie własne życie, więc zachowuję się tak, jakbym naprawdę pisał. Wiem, co się działo, gdy kończyłem pisanie. Co się stanie, gdy wyjdę stąd i nie napotkam takiego ciepła jak tutaj? Gdy napotkam problemy?

Pomyślał, że najlepszy sposób to więcej pracować nad sobą. Wzmocnić się tu, na Farmie, a później nie pozwolić się uwikłać w jakiekolwiek sprawy, które odrywałyby go od najważniejszych zadań: trzeźwości i troski o samego siebie. No i, oczywiście, korzystać z AA.

Zastanowił się, jak bardzo zmienił się jego stosunek do AA. Przed przyjazdem na Farmę sądził, że powinien tam chodzić, gdy poczuje chęć wypicia. Uważał, że to, czy będzie pić, czy nie, zależy przede wszystkim od jego silnej woli, ale ta wola może bywać poddawana pokusie. Gdy ją wyczuje, powinien pójść na spotkanie AA, posłuchać, jakie koszmarne rzeczy przydarzały się innym po alkoholu, przypomnieć sobie, ile sam stracił przez alkohol, i w ten sposób umocnić swoją wolę. Teraz widział w AA nie tylko środek na jego chorobę, ale również sposób na zmianę całego życia. Wyjął kartkę i zaczął odrabiać zadanie wyznaczone mu wczoraj przez grupę:

1. Zdałem tu sobie sprawę z tego, że nie byłem w stanie radzić sobie z życiem. Środkiem zaradczym była manipulacja, a kiedy okazywała się nieskuteczna i stawałem w obliczu problemów – alkohol. *Mam nadzieję, że już nie będę go chciał ani potrzebował. Ale choroba pozostaje nadal. I będzie pojawiać się pokusa. Dlatego muszę chodzić do AA.*

2. Gdy stąd wyjdę, świat będzie taki, jaki był. Napotkam problemy, wyzwania, a choroba będzie tylko czekać, by pożywić się na moich niepowodzeniach. Wielu problemów nie zdołam rozwiązać samodzielnie; będę potrzebował pomocy. Tutaj przy najważniejszych problemach okazywało się, że „my" zawsze było silniejsze niż „ja". Nadal potrzebuję pomocy i pomoc taką oferuje mi AA.

3. Przez całe życie czułem się samotny. Nie miałem wielu przyjaciół, czułem się zagubiony wśród ludzi. Dużo podróżowałem i wszędzie piłem z samotności. Teraz wszędzie na świecie będę mógł znaleźć przyjaciół, z którymi łączą mnie podobne przeżycia, odczucia, nadzieje. Mogę z nimi przebywać, rozmawiać, korzystać z ich pomocy. Chcę mieć tych przyjaciół. Chcę czerpać radość z ducha wspólnoty.

4. Bardzo chcę się rozwijać. Tutaj przekonałem się, że najlepiej rozwijać się razem z innymi, którzy też się rozwijają. Dlatego cieszę się z możliwości rozwoju w AA.

Przeczytał pracę i spodobała mu się sekwencja czasowników: muszę, potrzebuję, chcę, cieszę się. Ale ważniejsze było to, że czuł narastający spokój. Minął strach, panika, podenerwowanie. Poczuł, że tym razem uznał swoją bezsilność – zarówno wobec alkoholu, jak i wobec życia. Spojrzał na dopiero co zapisaną kartkę i dopisał na niej:

5. Skoro czuję, że jestem bezsilny wobec alkoholu i wobec problemów życiowych, to potrzebuję pomocy, mądrości i rady od innych, którym sam mogę coś dać.

6. Nawet tu co rusz przyłapuję się na złudzeniach dotyczących własnej mocy oraz na skłonności do krętactwa i manipulacji. Dlatego muszę chodzić na spotkania, bo tylko inni trzeźwi alkoholicy mogą przebić się przez moje zakłamania.

Przeczytał wszystko jeszcze raz i znów się wystraszył. To brzmiało tak dobrze, że sam nie wiedział, czy przypadkiem nie udaje. Czy jak dobry prawnik, którym przecież z wykształcenia był, nie napisał argumentów dla sądu, niekoniecznie w nie wierząc. Ale on tego nie wymyślił, tylko poczuł, więc chyba się nie oszukuje. Tylko że o tym to wie on sam, a czy inni nie pomyślą, że to jest za dobre, żeby było prawdziwe?

Pomyślał jeszcze, że chciałby utrzymać taki spokój, jaki zaczął go ogarniać przed chwilą. Uświadomił sobie, że w jego rozmyślaniach w ogóle nie ma siły wyższej. Jakoś W. nie mógł jej sobie w żaden sposób wyobrazić. Przybierała postać starca z brodą lub człowieka w średnim wieku na krzyżu, ale nie czuł ich oddziaływania na siebie. Potrzebował takiej siły wyższej, której by ufał i zawierzył. Kogoś, do kogo mógłby zwrócić się z pytaniem, co robić, żeby było lepiej.

Kiedy tak zdefiniował siłę wyższą, natychmiast uświadomił sobie, że już raz doświadczył jej oddziaływania. Tą siłą był doktor Bill, tak, ten sam, od nogi. Kiedy W. chciał zrozumieć, co mu dolega, doktor Bill nie pozwolił na to. Kazał mu zaufać i postępować zgodnie z jego wskazówkami. Nie chodzić, nie pracować, brać lekarstwo, przykładać termofor i trzymać nogę w górze. Narzucił siebie jako siłę wyższą, z niezłym, jak dotąd, skutkiem. W. pomyślał, że od doktora Billa może się zacząć jego droga ku innym siłom wyższym. Z czasem stanie się nią dla W. najpierw AA i dużo później bezosobowy Bóg. W „krokach" AA, które powinny być otwarte dla ludzi najróżniej wierzących, jest mowa o Bogu „jakkolwiek go rozumiemy". W. o swoim Bogu będzie mawiał „jakkolwiek go nie rozumiem".

Z czasem W. zaczął nabierać dystansu do samego rozumienia. Wyobraził sobie, że wspina się z kimś na stromą górę. Przed ostatnim podejściem W. traci siłę i ochotę na wspinaczkę, podczas gdy jego towarzysz już wchodzi na szczyt. „Jeszcze jeden wysiłek! – krzyczy do W. – Warto, bo stąd rozciąga się przepiękny widok. Uwierz mi, że warto". Ale rozum W. mówi na to, że wejdzie, ale tylko pod warunkiem, że tamten pokaże mu ten widok już teraz. Bez tego W. nie uwierzy, że naprawdę warto dalej się wspinać. Ta postawa wydała mu się ograniczona. Pomyślał, że podobnie może być, gdy człowiek pragnie wszystko najpierw zrozumieć i traktuje zrozumienie jako warunek wiary. Przypomniał sobie słowa: „Wierzę, ponieważ to jest absurdalne", ale nie pamiętał, czy ich autorem był Tertulian czy święty Augustyn. Z czasem dowiedział się, że Anonimowi Alkoholicy mają proste wyjaśnienie relacji między wiarą a rozumieniem: „Przyprowadzaj na mityngi ciało, a głowa przyjdzie później".

W. poczuł spokój. Z porannego kłębowiska myśli i uczuć pozostało jedynie poczucie winy z powodu Marthy i Chrisa. Była ósma rano, a on już zdołał uporządkować wiele spraw. Poszedł na spotkanie grupy kontrolnej z Ann. Było to przedostatnie spotkanie pacjentów, którzy przyszli na Farmę w tym samym tygodniu co W. Powinni więc zabrać się za opracowanie programu dnia dla siebie, który będą musieli przedstawić do akceptacji w specjalnym oddziale Farmy, zajmującym się opieką poszpitalną. Ann dała zebranym kilka wskazówek, jak zabrać się do tej pracy.

Codzienny program powinien być prosty, zwłaszcza na początku, i dopiero z upływem czasu można do niego dodawać nowe elementy. Planując zbyt wiele, można z góry skazać się na niepowodzenie. Szczególnie należy uważać, by nie planować za dużo na rano. Warto robić sobie codziennie listy spraw do załatwienia, które można będzie odfajkować. Przez pierwsze dziewięćdziesiąt dni po zakończeniu kuracji trzeba znaleźć czas na mityngi AA, a także na medytacje.

Warto też regularnie przyglądać się swoim uczynkom i postawie, bo tak można zobaczyć drobne zmiany, które się później kumulują. Wieczorem dobrze jest zrobić krótki obrachunek moralny, a zwłaszcza zastanowić się, czy nie trzeba nazajutrz komuś zadośćuczynić, a przynajmniej przeprosić. Warto też robić codzienną listę wdzięczności, która chroni przed litowaniem się nad sobą. Można też codziennie powiedzieć komuś coś miłego, a nawet zrobić coś dobrego dla kogoś, kto nie będzie wiedział, kto to zrobił. Przede wszystkim trzeba jednak uważać na dążenie do kontroli nad własnym życiem i wszystkim wokoło oraz na skłonność do ignorowania własnych uczuć.

Ann ostrzegała, by nigdy nie przyjmować żadnych środków zmieniających nastrój. Kupując leki bez recepty, upewnić się, czy nie ma w nich alkoholu. „Możesz wziąć jakiś środek na kaszel, a po tygodniu już być w alkoholowym ciągu" – ostrzegła. Warto odsunąć, jeśli to możliwe, plany wszelkich zabiegów chirurgicznych. W razie wątpliwości medycznych – zawsze dzwonić na Farmę, a z czasem znaleźć lekarza domowego, który sam jest niepijącym alkoholikiem w AA. Na szczęście takich jest coraz więcej.

Na koniec Ann powiedziała, że przez cały kolejny rok pacjenci będą musieli prosić o pomoc absolutnie we wszystkim. Najlepiej prosić o to ludzi z AA, no i oczywiście sponsora, którego warto jak najszybciej znaleźć w swojej grupie AA. Do tego czasu każdy dostanie na Farmie numer telefonu do blisko mieszkającego byłego pacjenta, który jest trzeźwy w AA.

W. zapisał to wszystko bardzo starannie, a później dopisał dwie własne uwagi, które chciał wieczorem przenieść do dziennika. Pod notatkami napisał:

Wszyscy alkoholicy odgrywają tę samą sztukę. Stanowią inną obsadę, grają w różnych dekoracjach. Ale sztuka w swej istocie jest ta sama.

Na początku notatek dopisał:

Życie samemu jest nie do zniesienia. Jeśli będę stosował się do poniższych instrukcji, mogę być szczęśliwy.

Ann przeszła do „piątego kroku", do którego zbliżała się większość uczestników. Jego treść: „Wyznaliśmy sobie, Bogu i drugiemu człowiekowi istotę naszych błędów". Oznaczało to, że po sporządzeniu obrachunku moralnego trzeba będzie komuś opowiedzieć o tym, co każdy w sobie dostrzegł. Jeśli ktoś zrobił „czwarty krok" w grupie, w „piątym kroku" powinien umieścić to wszystko, czego nie powiedział, bo na przykład dotyczyło to jego intymnych spraw. W tym „kroku" warto wyjawić wszystkie sekrety, nawet takie, które nie wiązały się bezpośrednio z uzależnieniem, także z czasów, zanim ktoś zaczął pić. Na słuchacza dobrze wybrać sobie kogoś, komu ufamy, może być to duchowny, o ile jest członkiem wspólnoty AA. Oczywiście najlepiej zrobić „piąty krok" wobec całej grupy terapeutycznej, bo wtedy można spotkać się z większą liczbą reakcji. Poza tym ten „krok" jest jak zdjęcie brzemienia z ramion. Ciężar tajemnic z całego życia rozkłada się na mówiącego i słuchających. Im więcej słuchaczy, tym mniejszy ciężar zostaje na barkach tego, kto się nim dzieli.

Joe zapytał, czy „piąty krok" jest obowiązkowy. „Tak, bo ma na celu przełamanie izolacji, w jakiej tkwi każdy alkoholik, i nawiązanie nowych, uczciwych stosunków z innymi ludźmi" – odpowiedziała Ann. „Czy nie wystarczy wyznanie naszych błędów Bogu?" – drążył Joe. Nie, bo Boga łatwo można oszukać. Właśnie drugi człowiek potrzebny jest po to, by nas przed tym upilnować. Joe stężał i zamilkł.

W. już przedtem zauważył, że z Joem zaczęło się dziać coś dziwnego. Był księdzem. Przyjechał na Farmę kilka dni po W. Już po dwu, trzech dniach wszedł w program. Zrobił „pierwszy krok", uznając swą bezsilność wobec alkoholu. Stale przebywał w saloniku i na tarasie, dużo rozmawiał z innymi pacjentami. W. często odbywał z nim dysputy filozoficzne i teologiczne. Po tygodniu zaczął się zmieniać wygląd Joego. Przestał się garbić, a że był wysoki i szczupły, zaczął fizycznie górować nad otoczeniem. Ale nie było w tym wyniosłości, raczej sprawiał wrażenie drogowskazu, który chciałoby się zapytać o drogę. Zrazu zapadnięte policzki zaczęły się zaokrąglać, a ziemista cera różowieć. Jak gdyby na twarzy odzwierciedlały się zmiany, które następowały w jego wnętrzu: otwarcie na siebie i innych. Ten rozwój trwał do czasu, gdy Joe zaczął robić „czwarty krok". Wtedy znów się przygarbił, cera mu zszarzała, policzki zaczęły się zapadać, jakby zamknął się w sobie.

Teraz W. zorientował się, że Joe przeraził się „piątego", a nie „czwartego kroku". Być może miał na sumieniu coś, co uznawał za zbyt straszne, by komukolwiek o tym powiedzieć. Pamiętając o „twardej miłości", a także o poczuciu winy z powodu Marthy i Chrisa, których ostatecznie usunięto z Farmy, W. postanowił być uczciwszy wobec innych pacjentów. Wracając do baraku, usiadł z księdzem na ławce i zapytał, czego ten się boi.

– Niczego – odpowiedział Joe.

– Czyżby? – powtórzył W.

– Naprawdę niczego się nie boję. Tak po prostu pytałem.

Joe stężał jeszcze bardziej, wstał, kończąc rozmowę.

– Ale ja czuję się w obowiązku powiedzieć ci, co czuję. Bo tylko tak mogę ci pomóc – nie dawał za wygraną W. – Mam wrażenie, że już tu tracisz czas. Więc powiedz komuś, co masz na wątrobie, albo wracaj do domu.

Potem, gdy Joe został odesłany z powodu braku postępów, W. uznał, że księżom może być bardzo trudno zrobić „piąty krok". I że nie chodzi im o siebie, ale o lojalność wobec Kościoła. Rzucenie własnym zachowaniem cienia na uświęconą instytucję może być tabu, którego nie potrafią przełamać. Na liście zawodów, których przedstawicielom najtrudniej wyzdrowieć z alkoholizmu – obok wszystkowiedzących psychiatrów i nauczonych znajdować argumenty dla każdej tezy adwokatów – W. umieścił również księży.

Na razie jednak W. miał nadzieję, że Joe się przemoże i zrobi „piąty krok". Zobaczył Billa i powiedział mu, iż ma wrażenie, że on też coś ukrywa i powinien zabrać się poważnie za własne poczucie kontroli. Bill zdziwił się, bo nie bardzo rozumiał, co W. miał na myśli.

Po obiedzie doktor Bill, ten od nogi, miał wykład na temat alkoholizmu jako choroby i powrotu do zdrowia. Choroba jest wielopłaszczyznowa, obejmuje emocje, sposób myślenia, sferę duchową oraz sam organizm. Ból emocjonalny i spustoszenie duchowe zaczynają się na długo wcześniej, zanim pojawią się fizyczne objawy choroby. Ona postępuje, ale w ukryciu, gdyż większość alkoholików może całkiem dobrze funkcjonować aż do wystąpienia zaburzeń fizjologicznych. Gdy organizm wysiada, pacjent umiera, staje się trwałym inwalidą lub podejmuje leczenie. Alkoholizm można bowiem zdiagnozować, powstrzymać i zaleczyć.

Zdrowienie zaczyna się od końca, czyli od naprawy organizmu. Później następuje zdrowienie umysłowe, czyli przebudowa systemu myślenia, co może trwać do czterech lat. Przywracanie zdolności funkcjonowania w sferze duchowej powinno się zacząć jak najwcześniej i trwać bez przerwy, każdego dnia. Zaledwie W. zdążył się zdziwić, że nie sposób tego załatwić raz na zawsze, doktor Bill wyjaśnił, że skoro codziennie jemy, podobnie powinniśmy codziennie dostarczać sobie pokarmu duchowego.

Podstawowym warunkiem wyzdrowienia jest zdolność przyjmowania wskazówek od innych i wprowadzania ich w życie. Drugi to otwarta i uczciwa komunikacja z innymi ludźmi, najlepiej we wspólnocie AA. Chorobie towarzyszyła bowiem potrzeba utrzymywania fałszywego obrazu samego siebie; stąd kłamstwa, manipulacje i samooszukiwanie się. Toteż podczas zdrowienia potrzebna jest całkowita uczciwość. Inni ludzie mogą podsuwać nam lustro, w którym zobaczymy samych siebie.

Doktor Bill mówił również o tym, że dobrze jest zmienić porządek dnia i narzucić sobie dyscyplinę, której większości alkoholików brakuje. Warto nie dopuszczać do tego, by być głodnym, złym, samotnym albo zmęczonym, bo wtedy łatwo o wpadkę. Ponieważ w alkoholizm wpisane jest zakłamanie, dobrze jest znaleźć jakiś sposób, by codziennie pamiętać o chorobie. Na przykład doktor Bill od chwili zaprzestania picia zaczął nosić zegarek na prawej ręce. Chciał zobaczyć, która godzina, wyciągał lewą rękę, a tam zegarka nie było. Zanim spojrzał na prawą, przypominał sobie, że jest alkoholikiem.

Gdy doktor Bill skończył, posypał się grad pytań. „Czy można zostać alkoholikiem, nie lubiąc alkoholu?" Można. „Czy można być alkoholikiem bez alkoholu?" Można, są nimi wszyscy trzeźwi alkoholicy. „Powiedziałeś, że z alkoholizmu można wyzdrowieć. Czy zatem można wrócić do normalnego picia?"

Nie, nie można. Dlatego z alkoholizmu można wyzdrowieć, ale nie można się wyleczyć. Wszystko wskazuje na to, że raz utraconej kontroli nad alkoholem nigdy nie można przywrócić. Tu doktor Bill opowiedział o ogórku. Świeży ogórek można zakisić, ale z kiszonego ogórka już nie można zrobić świeżego. Ale kiszony ogórek może całkiem dobrze funkcjonować, o ile tylko nie chce zostać na powrót świeżym. Wtedy cierpi, ma poczucie, że coś z nim nie jest w porządku, pcha się do chłodnika zamiast do zupy ogórkowej. A przecież w ogórkowej może świetnie się czuć. Podobnie może żyć alkoholik, jeżeli tylko zaakceptuje swoją kondycję i przestanie podejmować próby dowiedzenia, że nie utracił kontroli nad alkoholem.

Do W. porównanie to przemówiło jeszcze bardziej niż poprzednie, bokserskie. Postanowił zapamiętać, że jest jak kiszony ogórek. Ale najbardziej zastanowiło go stwierdzenie doktora Billa, że prawdziwy obłęd alkoholika wcale nie przejawia się wtedy, gdy pije. Alkoholik dostaje obłędu, gdy nie pije i właśnie dlatego zaczyna pić. Bo alkoholik bez alkoholu w organizmie wcale jeszcze nie jest trzeźwy. To dlatego najwięcej nawrotów choroby następuje między trzecim a szóstym miesiącem niepicia. Po trzech miesiącach organizm domaga się alkoholu, chyba że ktoś zacznie uczyć się żyć bez niego. I na tym polega tak zwane ustawiczne zdrowienie.

Po wykładzie W. przełożył zegarek z lewej ręki na prawą. Wieczorem Charlie, czyli znany W. z pierwszego dnia starszy pan w kowbojskim kapeluszu, znów mówił o tym, że alkoholizm utrzymuje się do końca życia. „Jestem trzeźwy już dwadzieścia siedem lat i wcale nie jestem dużo dalej od alkoholu niż wy" – powiedział. Nikt mu jednak nie wierzył. Wszyscy patrzyli na niego jak na kogoś nierealnego. Czuli bliższy kontakt z kimś, kto przyszedł na mityng na Farmę po trzech miesiącach trzeźwości, niż z Charliem, który wydawał się półbogiem trzeźwości. Z tym że Charlie był wspaniałym mówcą, zmieniał ton głosu, dodawał ekspresji gestem, mówił obrazowo i dowcipnie. Tego dnia powiedział, że każdy trzeźwiejący alkoholik powinien zezłościć się na swoje uzależnienie. Temu służy między innymi wydłużenie pamięci. Kiedy myśli o alkoholu, staje mu przed oczyma błyszczący bar, elegancki barman, piękne kobiety, przypomina sobie miłą atmosferę. To nęci. A przecież jeżeli nie zatrzyma tej taśmy i puści ją do końca, zobaczy ten sam bar nad ranem – śmierdzący, zarzygany – i siebie budzącego się pod stołem, czasem obok jakiejś nieznanej koszmarnej kobiety z rozmazanym makijażem. W. postanowił, że patrząc na zegarek, będzie pamiętał również o końcówkach swoich pijackich taśm.

Tej nocy W. przebudził się, wstał i zapisał w dzienniku: *Nabrałem przekonania, że mam uczucia. Wyczuwam innych ludzi. Dopiero tutaj to odkrywam. Dotąd chyba tłumiłem swoje emocje, bo bałem się, że łatwo mnie zranić. Orężem wobec świata był mój intelekt i on pozornie wziął górę. Wystarczyły jednak dwa tygodnie tutaj, by uczucia powróciły na wierzch, i to bez uszczerbku dla intelektu.*

DZIEŃ OSIEMNASTY, SOBOTA

W. obudził się z kurczami w obydwu nogach, ale już bez lęku. Pomyślał o bezsilności i myśl ta poprowadziła go ku akceptacji AA. Tak jak na nogę dostał tabletki i termofor, tak na chorobę serca zaleca się jakiś tryb życia, a na alkoholizm – inny. Tu mówią, że częścią tego trybu życia jest chodzenie do AA. Zastanowił się, dlaczego dotąd tak bardzo bronił się przez zaakceptowaniem tego. Przed przyjazdem na Farmę był po prostu pijany na sucho. Ale dlaczego tutaj, gdy coraz więcej rozumiał? Może to podświadomie wiązało się z niepewnością, czy w Polsce w ogóle istnieje AA. Przedwczoraj dowiedział się, że jest, i może teraz przestał się bronić?

Poszedł na poranne zajęcia na temat: „Kiedy znowu się napiję?". W. najpierw napisał: „Jeśli zapomnę o tym, że jestem bezsilny". Potem przypomniał sobie aktualne dylematy dotyczące podróży i ostrożnie napisał: „Jeśli będę za długo podróżować, na dodatek tam, gdzie nie ma AA". Zorientował się, iż nie zrezygnował w ten sposób z podróży po Europie, więc postanowił wyrzec się czegoś innego: „Jeśli jeszcze kiedykolwiek pojadę do Rosji". Na końcu napisał: „Jeśli powrócę do rozwiązłości".

Inni obawiali się, że się napiją, jeśli zapomną, że są alkoholikami, nie będą uczciwi wobec siebie albo zapomną
o swej sile wyższej i o AA. Ktoś powiedział, że jeśli będzie
niezadowolony z siebie, a ktoś inny – jeżeli będzie zbyt zadowolony z siebie. Jeśli będę izolować się od ludzi, ale także jeśli wrócę do dawnego towarzystwa. W. pomyślał, jak wiele
czyha na niego pokus i niebezpieczeństw. Zanotował jeszcze
trzy przestrogi wypowiedziane przez innych: „Jeśli nie na-
uczę się odmawiać i mówić «nie»". „Jeżeli kiedykolwiek po-
zwolę swojej żonie wzbudzić we mnie poczucie winy" oraz
„Jeśli kiedykolwiek będę chciał sprawdzić, czy wciąż jeszcze
jestem alkoholikiem".

Po obiedzie pokazano film, który ostrzegał przed stosowa-
niem leków zmieniających nastrój, a nawet proszków od bólu głowy. Alkoholicy często korzystają z pogorszenia nastroju, a nawet z chorób, by znaleźć pretekst do picia. W tym
samym celu zmieniają swe życie w pasmo nieustannych kry-
zysów, które łagodzą alkoholem. I chociaż wierzą, że te dolegliwości i problemy usprawiedliwiają picie, to w rzeczywistości jest odwrotnie.

W. przypomniał sobie, że wielokrotnie chorował, gdy
przestawał pić. I odwrotnie, nawet jeśli był zaziębiony, to
gdy szedł w ciąg, zapominał o chorobie. Tak jakby jego czysto fizyczny organizm też był uzależniony od alkoholu.
Przypomniał sobie swój ostatni ciąg. Na początku skarżył
się na bóle kręgosłupa. Z tego powodu zwolnił się z zajęć,
leżał w łóżku i pił. Po tygodniu rzeczywiście rozbolał go krę-
gosłup. Każdego by zresztą rozbolał od leżenia na miękkim
materacu. Ale gdy zabrakło mu alkoholu, W. przezwyciężył
ból i przyniósł z odległego sklepu całą skrzynkę.

Podczas wieczornego spotkania AA mówili Alise i Bill, którzy w nadchodzącym tygodniu wychodzili do domu. W. bezskutecznie próbował sobie przypomnieć, kim byli mówcy w poprzednich tygodniach. Miał jednocześnie wrażenie przemijania i trwałości. Uświadomił sobie, że tutejsza społeczność jest zmienna, bo ludzie przychodzą i odchodzą, ale jednocześnie stała, bo utrzymuje się w niej ten sam duch. Zauważył też u siebie gonitwę myśli, jakby od razu chciał zaplanować całe swoje przyszłe życie, wszystko przewidzieć i przygotować.

Wieczorem były zabawy w zgadywanki i szarady. Każdy w drużynie kolejno dostawał od przeciwników jakieś słowo do pokazania gestami i minami, a jego współtowarzysze mieli je odgadnąć. Wygrywała ta grupa, która odgadywała szybciej. W. bardzo się to podobało. Nigdy w podobne gry się nie bawił, zawsze go nudziły, on zajmował się poważniejszymi sprawami. Czując dziecinną radość, przyznał, że tu rzeczywiście przywracają człowieka do wieku dwunastu lat. Ale nie tylko pozwalają mu rosnąć, także bawić się jak dziecko.

W dzienniku zapisał:

Muszę unikać uogólnień i nie dopuszczać, by chwilowy lęk rzucał cień na całą przyszłość. A także uważać na codzienne drobiazgi, które mogą zagrozić trzeźwości.

DZIEŃ DZIEWIĘTNASTY, NIEDZIELA

Od samego rana czuł niepokój. Nękała go myśl, czy aby na pewno zdąży przed zakończeniem kuracji zrobić „czwarty" i „piąty" oraz „ósmy" i „dziewiąty krok". Musiałby w tym celu sporządzić własny obrachunek moralny oraz listę osób, które skrzywdził. Do wielu z nich powinien przynajmniej napisać list z przeprosinami. To masa pracy, a W. zostało już

tylko dziewięć dni na Farmie. Tak bardzo chciałby zrobić tu
to wszystko, wyjechać oczyszczony i zacząć nowe życie.

Po chwili uzmysłowił sobie, że znów chciałby zrobić coś
raz na zawsze i mieć spokój. Zazwyczaj zanim zabrał się do
pracy, starał się załatwić wszystkie drobne sprawy życiowe,
aby mieć, jak to nazywał, „czysty stół". Dopiero to pozwalało mu wyizolować się z życia i pisać. Teraz jednak wiedział
już, że to pozwalało mu także wyizolować się z życia, żeby
pić. Czyżby teraz też chciał zrobić wszystko naraz, by wyjść
z czystym sumieniem i czystym stołem? Zasłużyć na to, żeby znowu napić się na tym czystym stole?

Pomyślał, że musi odrzucić myślenie w kategoriach „raz
na zawsze". Że na Farmie ledwie zapoczątkował proces, który później powinien trwać całe życie. Codziennie będzie
miał czas na dopracowywanie „kroków"; zawsze będzie
mógł coś dodać do obrachunku moralnego i do „dziewiąte-
go kroku". Nie można przestać pić raz na zawsze, podobnie
nie można zmienić się raz na zawsze, ale trzeba to robić codziennie. Nie był jednak pewien, czy jeśli odłoży coś na potem, to będzie miał siłę, by zmobilizować się i do tego wrócić. Pomyślał więc, że oczywiście lepiej by było zrobić tu jak
najwięcej.

Po śniadaniu W. chodził między pacjentami i zbierał opinie
o sobie, potrzebne mu do „czwartego kroku". Jedni mówili
od razu, inni prosili o chwilę do namysłu, jeszcze inni powiedzieli, że zrobią to później. W. trochę się niecierpliwił. Gdy
Mark powiedział, że poważne określenie jego wad i zalet może mu zająć kilka dni, W. odszedł, ale zaraz wpadł w złość.
Zastanawiał się, dlaczego Mark tak go potraktował; złość W.
szybko urosła do wielkiego gniewu. Odszukał Marka i po-

wiedział, że jest na niego wściekły. Ten pokiwał głową i stwierdził, że na razie ma swoje sprawy, ważniejsze od zastanawiania się nad cechami W. Rano Mark rozmawiał z terapeutą Robertem o miejscu Tamary w jego życiu. Robert kierował rozmowę na alkoholizm i w końcu zapytał: „Czy chciałbyś być trzeźwy na bezludnej wyspie w samotności?". Mark nie wiedział; w ogóle nie wyobrażał sobie, że mógłby być sam, bez Tamary.

W. to pytanie też wydało się ważne, ale nie był pewny odpowiedzi. Sądził, że mógłby być trzeźwy, bo na bezludnej wyspie nie byłoby ludzi, których W. by się bał albo o których aprobatę by zabiegał. Ale nie wiedział, jak poradziłby sobie z samotnością. Pewnie po jakimś czasie by jej nie wytrzymał. I wtedy chyba by się napił. Uświadomił sobie potrzebę ludzi, i to w dużo szerszym wymiarze. Na przykład powinien mieć pracę z ludźmi i wśród ludzi, a nie w izolacji. Pomyślał, że może ludzie w AA będą dla niego społecznym punktem odniesienia.

Wrócił do pokoju i zanotował to w dzienniku. Słowa POTRZEBA LUDZI zapisał drukowanymi literami. Potem pisał o incydencie z Markiem:

Zauważyłem samonapędzający się mechanizm złości – zarówno wczoraj, jak i dzisiaj. Zrazu niewielki strach. Potem...

Zobaczył, co napisał, skreślił „strach" i napisał „złość".

Potem, gdy coraz więcej o tym myślę, strach coraz...

Znów skreślił „strach", bo mu chodziło o co innego, i napisał:

gniew coraz większy. (Tu może być wybuch nawet z błahej przyczyny). Więc lepiej mówić o tym od razu. Po powiedzeniu – ulga.

Wpadła mu do głowy myśl łącząca złość z ocenianiem – innych i samego siebie. Dopisał:

Jeżeli jestem zły na kogoś, to istnieje wielkie prawdopodobieństwo, że coś ze mną samym nie jest w porządku.

Pomyślał, że życie wymaga ciągłej pracy i nakładów energii. Ale nie jest to, jak dotąd myślał, praca skierowana na zewnątrz, lecz przede wszystkim praca nad sobą, nad obrazem samego siebie, nad charakterem, uczuciami i emocjami.

Postanowił zabrać się do tej pracy, porządkując swoje cechy do „czwartego kroku". Przeczytał odpowiedni rozdział „Wielkiej księgi", gdzie radzono, by zwrócić uwagę przede wszystkim na urazy wobec innych, bo w nich można doszukać się własnych wad, na lęki i na problemy związane z seksem. „Mała czerwona książeczka" wyliczała następujące wady: urazy, nieuczciwość, krytycyzm, litowanie się nad sobą, zazdrość, nietolerancję, strach i złość. W „12 krokach i 12 tradycjach" sugerowano, by zastanowić się nad pychą, lękiem, stosunkami seksualnymi, brakiem poczucia bezpieczeństwa – finansowego i emocjonalnego. To drugie było powiązane z nadmiernym zatroskaniem, złością, litowaniem się nad sobą oraz skłonnością do depresji. Warto też było przyjrzeć się egomanii, wyrażającej się zarówno dążeniem do dominacji nad innymi, jak i zależnością od nich.

W. się w tym pogubił. Próbując zrobić jakiś porządek, podzielił kartkę na dwie pionowe części i zaczął wypisywać te cechy, które przejawiały się na trzeźwo, i takie, które ujawniały się pod wpływem alkoholu. Zobaczył, że jego trzeźwa wrażliwość po wypiciu alkoholu przeistaczała się w ckliwy sentymentalizm lub w agresję – słowną albo fizyczną. Potrzeba akceptacji – w zarozumiałość, konfabulacje oraz hipochondrię. Ale po chwili ze zdziwieniem stwierdził, że – może oprócz agresji i histerii – wcale nie był tak bardzo inny, gdy pił i gdy nie pił. Zaniechał więc tego podziału i zaczął notować swoje wady i zalety, których było dużo mniej. Na innej kartce wypisywał imiona ludzi, do których czuł urazę.

Pracując nad tym, W. przypomniał sobie swoje uczucia w ostatnich latach. Uświadomił sobie, że najczęściej był to strach. Bał się wszystkiego, a zwłaszcza tego, co mogło nieść jakiekolwiek wieści od świata: dzwonka do drzwi, telefonu, skrzynki na listy. Czyżby niczego dobrego od świata nie oczekiwał? Wtedy znów przypomniał sobie ostatni ciąg. Leżał w łóżku: pił, zasypiał, budził się, onanizował się, znów pił i znów zasypiał. Czuł się samotny i bał się, że samotny umrze. Marzył o tym, by ktoś do niego zadzwonił, usłyszał jego głos, domyślił się, że cierpi, wyciągnął go z tego. Czekał na telefon. Ale gdy czasem telefon dzwonił, W. przeszywał dojmujący strach i myśl: „Czego oni ode mnie chcą?".

Nawet teraz poczuł ten strach i odłożył pracę. Wyszedł na taras, zbliżała się pora obiadu. Po obiedzie W. uspokoił się nieco, wrócił do pokoju, w którym od kilku dni mieszkał sam, bo Dole już skończył terapię, a nikogo nowego W. nie dokwaterowano. Starannie pochował rozłożone kartki i zasnął. Gdy obudził się, pobiegł na popołudniowy mityng AA, który już trwał ponad dwadzieścia minut. Felicia opowiadała swoją historię. W. od razu się z nią utożsamił, zawodowo zajmowała się pracą naukową; uczyła na różnych uniwersytetach, bo z powodu pijaństwa nigdzie długo nie zagrzała miejsca. Pochodziła zresztą z rodziny naukowców; gdy była dzieckiem, bardzo cierpiała, bo nigdy nie mogła zapraszać do domu rówieśników, gdyż to przeszkadzało jej ojcu, skupionemu nad swymi książkami. W. miał identyczne wspomnienia. Podobnie jak Felicia, od dziecka udawał kogo innego, niż był.

Gdy Felicia opowiadała, jak pijana symulowała, że jest chora na raka, W. pomyślał, że ona opowiada jego historię. Brakowało w niej tylko wymyślonego heroizmu, na przykład udawania małego powstańca, który pod ogniem karabinów maszynowych odcinał od źródła energii wyładowane dynamitem czołgi Goliaty. Po spotkaniu podszedł do Felicii i zapytał, czy także dla niej praca była ucieczką od życia. Była, i to bardzo atrakcyjną, bo nikt nigdy nie podejrzewał, że można uciekać w pracę naukową.

Po południu wyjrzało słońce i ktoś zaproponował spacer. Po tygodniu każdy mógł pójść w wolnym czasie w sobotę i w niedzielę na spacer wokół Farmy; trzeba było tylko iść w grupie nie mniejszej niż sześć osób oraz uzyskać zgodę dyżurnego terapeuty. W pierwszej chwili W. wahał się, bo miał przed sobą jeszcze dużo pracy nad „czwartym krokiem". Ale jednak zdecydował się pójść. Było bardzo pięknie, świat za bramą Farmy wydał mu się bardzo atrakcyjny, jakby inny niż ten, który pamiętał, jakiś niewymuszony.

Po powrocie znów się pogubił w myślach. Nie wiedział, czy jego wahanie przed spacerem było refleksem pijanego myślenia, w którym zawsze praca brała górę nad przyjemnością. Czy z kolei jego pójście na spacer było dowodem braku dyscypliny i ucieczką przed emocjonalnym wysiłkiem, związanym z pracą nad obrachunkiem moralnym? Dylematów związanych z wyborem między pracą a przyjemnością nie potrafił rozstrzygnąć – ani teraz, ani później, jeszcze przez wiele lat po wyjściu z Farmy.

Wieczorem była sesja grupy bez Lindy. Herbert borykał się z poczuciem winy. Kilkakrotnie powtarzał, że nie jest winny swego alkoholizmu, bo przecież jego ojciec był alkoholikiem. Tak samo jak on nie ponosi winy za alkoholizm swego syna. Bardziej brzmiało to jak odpowiedź na pytanie, dlaczego mogę nie czuć się winny, aniżeli rzetelna próba uporania się z poczuciem winy. W. pomyślał, że warto kiedyś samemu poważnie zastanowić się, jak to właściwie jest z winą za alkoholizm. Czy człowiek jest winny tego, co robił pod wpływem choroby?

Potem Karen opowiadała o sobie, o porzuceniu jej przez rodziców, narkotykach i w końcu o porzuceniu przez nią samą własnych dzieci. Brzmiało to wszystko bardzo tragicznie, ale W. nie mógł się skoncentrować, bo strasznie denerwował go Mark. Pytał Herberta i Karen o sprawy, które wydawały się W. pozbawione związku z ich uzależnieniem i spychały sesję w ślepy zaułek. Pod koniec spotkania W. uświadomił sobie, że jest zły na Marka, bo po prostu przejął inicjatywę. Dokonawszy w ostatnich dniach wielkich postępów, W. sądził, że sam wie lepiej, czego potrzeba do trzeźwości jemu i innym. A teraz Mark podważał jego pozycję. W. uznał, że ma tutaj pracować nad sobą, a nie nad Markiem.

Wieczorem, przy przekąskach, dyżurujący tego dnia Charlie rozmawiał z Rickiem na temat uczciwości. W. zapamiętał stwierdzenie, że prawda jest lepsza, bo się ją pamięta i człowiek nie gubi się wśród własnych kłamstw. Ta myśl wydała mu się złota. Gdy zapisywał ją przed snem w dzienniku, zauważył, że tego dnia zapisał drobnym maczkiem dwie kartki, a nie jedną, jak zwykle.

DZIEŃ DWUDZIESTY, PONIEDZIAŁEK
W. obudził się z dobrymi myślami i uczuciami. Znów pomyślał, że zawsze tak chciałby się budzić, i poczuł wdzięczność

wobec ludzi na Farmie. Pomyślał o kolegach, którzy zmarli z powodu alkoholizmu, i innych, którzy wciąż się męczyli. Zapragnął, aby także w Polsce były takie ośrodki jak tutaj.

Poszedł na medytacje. Po chwili skupienia i odmówieniu modlitwy „Ojcze nasz" prowadzący medytacje pacjent, młody chłopak imieniem Eugene, poprosił, aby W. odczytał dzisiejszą myśl i medytację z książeczki „24 godziny na dobę". Była tam mowa o tym, co przesądza o skuteczności wypowiedzi na mityngu AA. Kwiecistość stylu, ton głosu, gestykulacja nie mają znaczenia. Najważniejsza jest szczerość wypowiedzi. „To, co nie pochodzi prosto z serca, nie może też do niego trafić". Myśl kończyła się pytaniem: „Czy zabieram głos na mityngach po to, żeby zwrócić uwagę na siebie, czy też po to, żeby pomóc sobie i innym?".

Medytacja dała mu więcej do myślenia. Dotyczyła „Ojcze nasz", a dokładniej jednego zdania z tej modlitwy: „Bądź wola Twoja". Czytając ją, W. musiał siebie trochę przezwyciężać, jakby słowa medytacji były mu obce albo jakby on sam niechętnie je akceptował: „«Bądź wola Twoja» – te słowa musisz często sobie powtarzać. W wypełnianiu woli boskiej powinieneś znajdować zadowolenie. Powinieneś wypełniać ją z radością, bo wtedy twoje życie układa się pomyślnie, a w dłuższej perspektywie wszystko obraca się na dobre. Gdy uczciwie starasz się wypełniać wolę boską i pokornie akceptujesz skutki, nic cię poważnie nie zrani. Ci, którzy w swoim życiu akceptują wolę boską, mogą nie zdobyć świata, ale zdobędą spokój umysłu i duszy. Modlę się, abym nie trwał w samowoli, lecz bym zestroił się z wolą boską".

W. skończył czytanie z ulgą. Ale wtedy Eugene poprosił go, żeby przeczytał jeszcze następną stronę z książeczki. Okazało się, że W. pomylił daty i przeczytał to, co było poprzedniego dnia. W. trochę się zmieszał; bał się, że wyjdzie na jaw, iż opuścił wczorajszą medytację. Przeczytał właściwą, która mówiła o stosunku do nowych uczestników AA oraz o tym, że właściwe postępowanie gwarantuje poczucie bezpieczeństwa i pokój wewnętrzny. Potem czytano fragmenty z innych broszur, a na koniec znów wszyscy wzięli się za ręce i odmówili modlitwę o pogodę ducha.

„Co, Bóg właśnie do ciebie przemówił? – raczej stwierdził, niż zapytał Bill, podchodząc do W. – Może nieprzypadkowo pomyliłeś dni, może powinieneś był usłyszeć medytację, której wczoraj nie słyszałeś". W. po chwili zastanowienia pomyślał, że może na spotkaniach grup terapeutycznych i na mityngach nie powinien mówić jak wykładowca. Ale nie wiedział, do czego mogła mu być potrzebna medytacja o woli bożej. Gdy podzielił się tą wątpliwością z Billem, ten odpowiedział. „Nie wiem, do czego może ci się to przydać. Ja jestem dość prostym człowiekiem i przetłumaczyłem sobie to tak: «Bądź wola Twoja, a nie moja». I tyle".

W. zapamiętał słowa Billa, choć nie od razu je zrozumiał. Ale po jakimś czasie, już chodząc do kościoła, gdy mówił wraz z innymi „Ojcze nasz", po słowach „Bądź wola Twoja", dodawał półgłosem, „a nie moja". Zostało mu to na zawsze; zawsze też myślał wtedy o Billu.

Na porannym wykładzie Ann mówiła o uczuciach. Wypisała na tablicy krótką listę uczuć: złość, uraza, litowanie się nad sobą, lęk, niskie poczucie wartości oraz poczucie winy. Poprosiła, żeby zebrani poszerzyli tę listę o inne. Przychodziło to im z największym trudem. Wreszcie na tablicy dopisano ból, smutek, poczucie krzywdy, niepokój, a także zadowolenie, nadzieję i miłość. Ann powiedziała, że uczuć w ogóle jest niewiele i pokrywają się ze sobą, a także przechodzą jedne w drugie. Na przykład strach kryje w sobie cała gamę uczuć – od ostrożności poprzez niepokój do całkowitego paraliżu. Ale właściwie nie warto ich komplikować wyszukiwaniem coraz to nowych odmian głównych emocji. Jedni ludzie już jako dzieci nauczyli się rozpoznawać swoje uczucia i radzić sobie z nimi, a inni nie. Niektórzy, chcąc uniknąć cierpień, zaczęli tłumić dolegliwe uczucia, a później zagłuszać je alkoholem lub innymi substancjami. Jedną z pierwszych zdolności, które padają ofiarą uzależnienia, jest właśnie umiejętność radzenia sobie z uczuciami. Stłumione uczucia tworzą śmietnik bardzo groźnych odpadków. Często pijemy po to, by je zagłuszyć. Czasem, po pijaku, następuje niekontrolowany wybuch nagromadzonych emocji, ale on nie prowadził do ich rozładowania. Wybuch rodzi przeważnie niedobre konsekwencje, a uczucia leżące u jego podłoża pozostają. Żadne bowiem uczucie, nawet z zamierzchłej przeszłości, nie znika po prostu z upływem czasu. Uczucie takie trzeba zidentyfikować, nazwać, mówić o nim i pozbyć się go we właściwy sposób. „Dopóki tego nie zrobicie, nieświadome uczucia będą wami rządzić – mówiła Ann. – Możecie po wyjściu stąd nie pić, ale nie będziecie trzeźwi. Bo jednym z najważniejszych elementów trzeźwości jest umiejętność odczuwania, nazywania i wyrażania uczuć".

W. zrazu myślał z troską o Ewie, o jej dzieciństwie i o tym, że przez wiele lat musiała skumulować bardzo wiele niewyrażonych uczuć. O jej zamykaniu się, okresach emocjonalnego chłodu, o koalkoholizmie. Zanotował sobie na marginesie, by z nią o tym porozmawiać. Ale gdy Ann zaczęła opowiadać swoją historię uczuć, W. utożsamił się z nią. Podobnie jak W. Ann przyjechała na Farmę, myśląc, że trochę wypocznie. Tu jednak Ann została skonfrontowana z innymi pacjentami, dzięki którym zrozumiała, że przez całe życie starała się kontrolować swą rodzinę, męża, dzieci, pracodawców, wszystko i wszystkich wokół siebie. Aż wreszcie uznała, że nie ma żadnej władzy nad światem. W tym miejscu W. zapisał czerwonym kolorem na marginesie: „Mój problem polega na tym, że wciąż myślę, iż mam władzę". Skorzystał ze swej podzielnej uwagi i dopisał, również na czerwono: „Nie wystarczy to wszystko zrozumieć, a nawet zmienić sposób życia, bo uzależnienie nadal pozostaje. Dlatego koniecznie muszę pamiętać o tym, by zawsze puszczać sobie pijacki film do samego końca, zachować dyscyplinę i chodzić do AA".

Zachęcając do wyrażania uczuć, Ann ostrzegła przed ich intelektualizacją, czyli mówieniem, jakie one są i skąd się biorą. Taka strategia może wydawać się bezpieczna, gdyż mamy wrażenie, że coś z nimi robimy, nie przeżywając jednocześnie bólu. Ale bez bólu nie sposób sobie z uczuciem poradzić. Rzecz w tym, by tego bólu nie przedłużać i nie powiększać. By mówić o tym, co nas boli. „Można nie pić, będąc jednocześnie zamkniętym emocjonalnie. Ale cóż to za trzeźwość?" – zapytała na koniec Ann.

W. czuł, że Ann mówiła o nim, i postanowił uczyć się wyrażać emocje, zwłaszcza takie, których dotąd nie umiał okazywać. Przede wszystkim dotyczyło to złości. Często ją czuł, ale tłumił, bo bał się wybuchu. A po pijaku, albo nawet i na trzeźwo, nagromadzona złość wybuchała z wielką siłą. Wtedy awanturował się, bił, uciekał albo zrywał związki. Teraz chciał od razu wyrażać swoją złość do tego, kto ją spowodował.

Został w sali przez chwilę po wykładzie i czytał notatki, które właśnie zrobił. Zebrało się tego ze cztery strony. Zauważył, że jest w nich sporo powtórzeń. Nie zorientował się, że stanął nad nim Richard, pacjent, który przyjechał na Farmę kilka dni po W. Pochylił się i zapytał, czy W. nie obawia się, że od jakiegoś czasu znów za mało słucha, a za dużo notuje. W. się nie obawiał. Wręcz przeciwnie. Coraz wyraźniej przychodził mu do głowy pomysł na książkę. Już ją widział. Połączyłby w niej zdarzenia i doświadczenia zdobyte na Farmie z retrospekcją o swoim życiu. Stopniowe uświadamianie sobie zablokowanych wspomnień wpływałoby na kolejne przełomy świadomości. Mógłby w niej zintegrować fakty, wykłady, opowieści innych, własne i cudze uczucia, a także zrekonstruować alkoholizm, niemal w czystej, wydestylowanej postaci. Czuł tę książkę i bardzo chciał ją napisać. Toteż coraz więcej i coraz staranniej notował. Już nie tylko w swoim pokoju po zajęciach i wieczorem, ale także na wykładach i innych zajęciach. Jedynie podczas sesji grupy terapeutycznej ukradkiem zapisywał słowa, by nic nie zapomnieć i dokładniej zanotować później.

Kilka dni temu W. przypomniał sobie powieść Louisa Stevensona „Dziwna historia dra Jekylla i Mra Hyde'a". Bohatera tej powieści porównał do W. jego brat. Gdy nie pił, W. był jak doktor Jekyll: sympatyczny, myślący, twórczy. Kiedy szedł w ciąg, zamieniał się w pana Hyde'a: niezdyscyplinowanego, agresywnego potwora. Zrazu W. w ogóle odrzucał to porównanie, nie widząc w sobie żadnego pana Hyde'a. Sądził, że po alkoholu też jest zabawny. Później, gdy przekonał się, że nie zawsze tak było, uznał, że faza pana Hyde'a była potrzebna doktorowi Jekyllowi, którym nie mógł być bez przerwy. Doktor Jekyll wypoczywał jako pan Hyde. Teraz W.

spojrzał na to inaczej. Przypomniał sobie porównanie z braćmi syjamskimi, z których jeden stał się dlań doktorem Jekyllem, a drugi – panem Hyde'em. Miał nadzieję, że dzięki Farmie i AA uda mu się zlikwidować, a przynajmniej uśpić pana Hyde'a. A wtedy będzie już mógł być wyłącznie doktorem Jekyllem – myślącym, twórczym, wrażliwym oraz przyjaznym ludziom i samemu sobie.

Po wykładzie Ann W. znów poczuł trudny do przezwyciężenia strach i niechęć przed powrotem do pracy nad „czwartym krokiem". Przemógł się i zaczął porządkować swoje cechy, zarówno te, które wypisał sam, a także znalezione w podręcznikach i przeglądanych pod tym kątem swoich notatkach z Farmy, jak i te, które zebrał od innych pacjentów. Sam wypisał nieco więcej wad niż inni, za to jego lista zalet była dużo krótsza od tej, którą ułożyli pacjenci. Zdziwił się, że wśród wad umieszczali jego silne strony: racjonalizm, zdolności analityczne, intelektualizm i kontrolę.

Położył wszystkie zapiski obok siebie. Czystą kartkę podzielił na trzy pionowe rubryki. W nagłówku napisał od lewej: cechy, zalety, wady. Teraz podzielił kartkę poziomo na połowę: w górnej części znajdą się cechy osobowościowe, w dolnej – wyrażające się w relacji z innymi. Wśród cech osobowościowych w kolejnych liniach umieszczał dotyczące obrazu samego siebie, kontroli nad własnym życiem, umysłowości, życia emocjonalnego oraz duchowego. Zauważył, że w rubryce dotyczącej własnego obrazu wypisał same wady, a przy kontroli nad życiem oraz emocjach – wady wielokrotnie przewyższały zalety. W dolnej połówce podobnie było w rubrykach dotyczących relacji z bliskimi, życia seksualnego oraz interakcji z ludźmi w ogóle. Mniej więcej tyle samo wad i zalet dostrzegł w dziedzinie intelektu i ducha. Po dwu godzinach miał kolejną kartkę, a na niej pierwszą odpowiedź na postawione przez Lindę pytanie, kim jest. Teraz miał to przedstawić swojej grupie. „Czwarty krok" wymagał także omówienia urazów, które żywił, oraz postępków, z których powodu miał poczucie winy. Postanowił zrobić to po popołudniowym zebraniu społeczności.

Ale zaraz po tym zebraniu został wezwany do działu przyjęć. Wystraszył się. Pomyślał, że go wyrzucą. Że może chodzi o pieniądze. Może coś przeskrobał, nie zdając sobie z tego sprawy. Okazało się jednak, że chcieli, by W. wprowadził nowego pacjenta do społeczności. W. uspokoił się, zrobił to, a później uświadomił sobie, że jego strach był odruchowy. Taki sam, jaki go nękał, zanim przyjechał na Farmę. Uznał, że musi nad tym pracować.

Wrócił do urazów. Tych miał niewiele, ale głębokie. Do ojca, do byłej kochanki, do Ewy, do systemu politycznego. Znak zapytania postawił przy matce, pierwszej żonie, rodzeństwie i kolegach szkolnych, którzy go nie akceptowali. Wierzył, że z tym wszystkim będzie mógł sobie jakoś poradzić. Gorzej było z poczuciem winy. Ta lista była bez porównania dłuższa i W. z największym wysiłkiem psychicznym dopisywał do niej coraz to nowe zdarzenia, wyciągane z zakamarków pamięci. Były tam kłamstwa i oszustwa, drobne kradzieże, zdrady, porzucenia i inne krzywdy wyrządzane kobietom. W. już zrozumiał, że alkoholizm jest chorobą i że to „chory", a nie „prawdziwy" on dokonywał tych czynów. Nie wiedział jednak, czy robił to, ponieważ jest alkoholikiem. Czy też został alkoholikiem, ponieważ tak postępował. W szczególności nie mógł sobie poradzić ze zdarzeniami z dzieciństwa, zanim jeszcze zaczął pić.

Przypomniał sobie, jak mając dziesięć lat, leżał przez miesiąc w szpitalu. W jego sali był mały chłopczyk – z odległej wsi, biedny, rodzice rzadko go odwiedzali. Za to do W. przychodzili rodzice, rodzeństwo, koleżanki i koledzy ze szkoły, przynosili mu cukierki i inne łakocie. W. dzielił się nimi z małym chłopcem, któremu najbardziej smakowały cukierki czekoladowe. Po kilku dniach powiedział, że będzie mu dawać cukierki, ale za zezwolenie na uderzenie w twarz. Chłopiec się zgodził i W. go bił. Później z tego właśnie powodu zawsze uważał siebie za złego człowieka. Nie pomagały spowiedzi i pokuty. W. czuł się zły do czasu, gdy o tym zapomniał. Ale czasem wspomnienie wracało, wtedy pił. Teraz też wróciło i W. nie umiał sobie z nim poradzić. Przecież tego nie można zwalić na chorobę.

Odszukał Ann i poprosił ją o pomoc. Powiedziała mu, że alkoholizm to sposób adaptacji i strategia przetrwania. Ale nie jedyny sposób adaptacji. W. adaptował się do własnego życia i spotykających go krzywd na różne sposoby, także bijąc i robiąc różne złe rzeczy, bo tak radził sobie z faktem, że sam był bity. Później znalazł inną metodę radzenia sobie z krzywdami – właśnie alkohol. On też był złudny, bo pogłębiał urazy i wyrzuty sumienia.

W. zapytał, czy w ogóle można sobie z tym bagażem przeszłości dać radę. Ann odpowiedziała, że temu właśnie służą „krok ósmy" i „dziewiąty". Najpierw trzeba sporządzić listę osób, które skrzywdziliśmy, a następnie „zadośćuczynić osobiście im wszystkim, z wyjątkiem tych przypadków, gdy zraniłoby to ich lub innych". W tym celu należy raz jeszcze przyjrzeć się własnej przeszłości i wziąć na siebie odpowiedzialność za krzywdy wyrządzone innym. W. znowu nie rozumiał. Przecież robiliśmy to wszystko pod wpływem choroby. A choroba zwalnia z odpowiedzialności, nawet w prawie karnym.

Choroba co najwyżej zwalnia z poczucia winy, ale nie z odpowiedzialności, wyjaśniła Ann. To właśnie brak odpowiedzialności za własne czyny syci chorobę. Alkoholik, który nie ponosi konsekwencji swoich czynów, brnie w uzależnienie. Wymuszenie na nim odpowiedzialności, czyli ponoszenia konsekwencji picia, może skłonić go do szukania pomocy. A później trzeba nauczyć się żyć w sposób odpowiedzialny na co dzień. A także wziąć odpowiedzialność za swoją przeszłość. Bez tego nie odzyska się spokoju sumienia.

W. nadal nie wiedział, co ma zrobić z chłopcem sprzed dwudziestu ośmiu lat. Zrozumiał jednak, że alkoholizm jest dość osobliwą chorobą. Na pewno jest nią w tym sensie, że ma przebieg, objawy i cechy czysto organiczne. Ale trzeźwiejącemu alkoholikowi koncepcja choroby potrzebna jest do czegoś innego. Do tego mianowicie, by nie padł pod ciężarem win i krzywd wyrządzonych innym i sobie, które zobaczy w „pierwszym" i „czwartym kroku". Gdy wydobędzie z mroków pamięci całą swoją przeszłość, słyszy: „Nie załamuj się, to nie ty, to choroba". Ale gdy upora się z przymusem picia, gdy stanie na nogi i zacznie żyć trzeźwo, będzie musiał raz jeszcze wrócić do przeszłości i uporać się z odpowiedzialnością za to, co uczynił. A wtedy choroba nie będzie żadnym usprawiedliwieniem.

W. zobaczył jeszcze jedną różnicę między światem Farmy a tym na zewnątrz. Dotyczyła właśnie odpowiedzialności. Tam różne wytłumaczenia z niej zwalniają: siła wyższa, obrona konieczna, niezdolność rozumienia znaczenia czynu itp. Tutaj jest się odpowiedzialnym za swoje czyny, niezależnie od tego, czy ktoś je rozumiał, czy nie, czy miał świadomość, czy nie. Ta odpowiedzialność była traktowana jako główny element zdrowienia i trzeźwego życia. Wieczorny film opowiadał o tym, jakie nowe możliwości życiowe stwarza trzeźwość. Ale kończył się źle: zapiciem trzeźwiejącego bohatera. Przeszkodziły mu nierealistyczne oczekiwania wobec siebie i innych, potrzeba ciągłego dowodzenia sobie i innym, jaki jest wspaniały, oraz izolacja od ludzi. Oglądając ten film, W. pomyślał, że musi jeszcze raz przepracować swoją bezsilność. Podczas dyskusji po filmie terapeuta John powiedział coś, co zastanowiło W. Że trzeźwość postępuje tak samo jak choroba. W. pomyślał, że to tak, jak wejść na szlak w górach: jeśli utrzymuje się wysiłek stawiania krok po kroku, to wchodzi się coraz wyżej. Ale uświadomił sobie, że ta ścieżka jest oblodzona; jeżeli zaprzestanie się wysiłku, to człowiek stacza się na dół.

Podczas wieczornego spotkania grupy przedstawił się nowy uczestnik, Joseph. Karen mówiła o poczuciu winy wobec własnych dzieci. Dziecko, które chciała mieć, poroniła. Tych, które ma, nie chciała. Podczas ciąży i po urodzeniu każdego dziecka była na lekach i narkotykach. Starszy jest chorowity od urodzenia. Za to młodsza jest krnąbrna, Karen nie lubi jej, bo nie daje się bić. W. przypomniał sobie swoje dzieciństwo i zapisał: „Bije się to dziecko, które się temu poddaje". Poczuł złość na siebie, że nigdy się nie zbuntował. Pomyślał, że był tchórzem. Karen mówiła też sporo o tym, że nigdy niczego sobie nie kupiła, niczego nie miała, za to kupowała wszystko dzieciom. Teraz myśli, że to z poczucia winy, i jest zła, że siebie zaniedbywała. W. też rzadko sobie coś kupował; żył raczej oszczędnie i liczył się z pieniędzmi. Nie miał jednak o to do siebie pretensji; od czasu zrobienia rachunków pod dyktando Lindy wiedział, że nieświadomie oszczędzał na swoje priorytetowe wydatki, czyli na alkohol.

Na koniec spotkania, jak zwykle, wszyscy wzięli się za ręce i odmówili modlitwę o pogodę ducha. W. spostrzegł, że w drugiej części, gdy prosi o „odwagę, abym mógł zmieniać to, co mogę zmienić", zamiast „odwaga" nieświadomie mówi „władza".

DZIEŃ DWUDZIESTY PIERWSZY, WTOREK

Z samego rana W. znów złapał się na tym, że chciałby zrobić wszystko nie tylko naraz, ale i na zapas. Po śniadaniu chciał napisać wiele kartek do najbliższych i przyjaciół, a potem tylko wstawiać daty i je wysyłać. Uświadomił sobie, że to chore myślenie: zrobić wszystko tak, żeby już nic nie musieć. No i móc się napić. A życie to stały proces. Znów pomyślał o jednym ze sloganów powtarzanych w AA, by żyć dniem dzisiejszym. Mówiono, że u progu trzeźwości nikt nie może wyobrazić sobie, że już nigdy, do końca życia, nie będzie pić. Każdy jednak może zaakceptować, że nie będzie pić dzisiaj. Tylko dzisiaj. Jutro znów tylko dzisiaj. I tak może się uzbierać wiele lat, a później całe życie.

Poranny wykład dotyczył postaw i zachowań, które mogą doprowadzić pacjentów z powrotem do picia. Właściwie Robert rozwijał w nim myśli z wczorajszego filmu. Trzeźwość to stan, ale po to, by w nim wytrwać, trzeba ciągle się rozwijać. Po to, żeby się rozwijać, trzeba nieustannie się zmieniać. Robert omówił kolejno każdy z siedmiu grzechów głównych z perspektywy alkoholizmu. Na przykład pycha uniemożliwia alkoholikom poproszenie kogokolwiek o pomoc. Każdy żywi bowiem przekonanie, że silni ludzie muszą sami sobie ze wszystkim radzić, a proszenie o pomoc jest przejawem słabości.

W. zaciekawiło, gdy Robert powiedział, że pycha, podobnie jak pozostałe sześć grzechów głównych, jest rezultatem niskiego poczucia własnej wartości. Człowiek, który sam siebie ceni, nie musi się wynosić nad innych i pokazywać im na każdym kroku, jaki jest wspaniały. W. pomyślał, że wielu sławnych twórców, których zna osobiście, może mieć kłopot z poczuciem wartości.

Siedem grzechów głównych trzeba stopniowo zastępować wiarą, nadzieją i miłością. Robert zacytował świętego Pawła na poparcie tezy, że najważniejsza jest miłość. Później przedstawił listę zachowań, które jemu pomagają utrzymać trzeźwość i rozwijać się. Nie porównywać siebie z innymi, być wobec samego siebie dobrym i opiekuńczym oraz unikać stresujących sytuacji. Najlepszym lekarstwem na stres jest – wedle Roberta – modlitwa o pogodę ducha. Uczy ona realizmu w patrzeniu na świat, wybieraniu celów działania i akceptowania rezultatów, nawet wtedy, gdy nie są one zgodne z naszymi zamiarami. Zasadnicze znaczenie ma to, by pamiętać, że najważniejszą rzeczą, której alkoholik nie może zmienić, jest jego własny alkoholizm.

Później Robert powtarzał rzeczy, o których już wielokrotnie była mowa na różnych zajęciach. W. był trochę zły, że musi słuchać tego samego w kółko. Ponieważ postanowił być szczery i nie tłumić swych uczuć, zapytał Roberta, dlaczego na Farmie jest tak wiele powtórzeń.

Robert wytłumaczył, że kuracja odwykowa to nie uniwersytet. Że po to, by cokolwiek do alkoholików dotarło, trzeba to powtarzać wielokrotnie. Z tego, że człowiek coś raz usłyszy, niewiele wynika dla jego zachowań, a zwłaszcza dla ich zmiany. Nawet po to tylko, żeby jakieś nowe pojęcia, zasady czy ostrzeżenia dotarły czysto werbalnie, trzeba je usłyszeć przynajmniej trzy razy. A co dopiero, by przebić się przez mur zakłamanych myśli i zmienić zachowanie. W. znów pomyślał, że tutaj panuje inna logika niż tam, skąd przyszedł.

Podczas popołudniowej sesji terapeutycznej omawiano sesję rodzinną Marka. Opowiadał on także o swojej niezdolności kierowania własną sferą emocjonalną. Znów okazało się, że postrzega wszystko przez pryzmat Tamary, jego miłości do niej oraz oczekiwań dotyczących wspaniałego nowego życia razem z nią. Linda ostrzegła, że to niebezpieczne. „Czy pomyślałeś, co się stanie, jeżeli zbudujesz swoją trzeźwość na takim fundamencie, a później Tamara od ciebie odejdzie albo sam uznasz, że nie powinniście być razem?" – zapytała. Markowi nie przyszło to do głowy.

Laura znów wahała się, czy jest alkoholiczką. W. poradził jej, by się trzymała alkoholizmu, bo to może jej pomóc stworzyć siebie, niezależnie od męża. Linda się zdziwiła. „Sugerujesz, że można udać alkoholika, żeby na tym budować siebie. Przecież cały ten program opiera się na uczciwości. Jeśli Laura nie jest alkoholiczką, to nikt nie powinien jej z niej robić" – powiedziała stanowczym, a nawet gniewnym tonem.

O szóstej wieczorem W. poszedł do sąsiadującego z Farmą szpitala, by mówić do pacjentów detoksu. Detoks to dobre miejsce, by przekonać alkoholików, że mogą potrzebować pomocy. Trudno im tam udawać, że mają inne problemy niż alkohol, a kac i poczucie winy mogą sprzyjać decyzji, by zostać po detoksie na leczeniu. Do takich ludzi najlepiej trafiają trzeźwi alkoholicy o stosunkowo krótkim stażu niepicia, którzy wciąż dobrze pamiętają własne trzęsionki i delirki. W. czuł się wyróżniony, gdy poproszono go o to, by tam poszedł. Trochę bał się intelektualizowania, ale traktował to jak sprawdzian. Przypomniał sobie myśl AA, którą pomyłkowo wczoraj przeczytał. Mówił długo, może nawet półtorej godziny, ale pacjenci go słuchali. Utożsamiali się również z tym wszystkim, co W. mówił o swoich uczuciach i emocjach. Jednocześnie, gdy przygotowywał się do spotkania, gdy mówił i gdy odpowiadał na pytania, coraz więcej spraw układało mu się w głowie. Wierzył, że będzie mógł je zastosować do swojego życia, do swojej trzeźwości i do planowanej książki.

Spotkanie z pacjentami odbywało się w tym samym czasie co wieczorny wykład Johna na temat niekierowania życiem. W. wrócił pod koniec zajęć. John został z nim, by dać W. do wypełnienia test. Miał siedemnaście pozytywnych odpowiedzi na dwadzieścia możliwych. Oznaczało to, że W. na pewno jest alkoholikiem i do tego trzeźwiejącym. Potem ucięli sobie pogawędkę o duchowych wymiarach trzeźwości oraz nauki. Podczas tej rozmowy W. znów zobaczył swoją książkę. Dostrzegł, że może w niej zespolić w jedną całość wiele swoich zainteresowań tajemniczymi zdarzeniami, parapsychologią i teoriami, o których niegdyś pisał, ze swoimi doświadczeniami na Farmie.

Wieczorem zapisał w dzienniku:

Myślę, że alkoholicy są ludźmi wybranymi, bo prawie wszyscy stali się alkoholikami z powodu swojej nadwrażliwości, którą świat odtrącił.

Dodał jeszcze zasłyszany na jakichś zajęciach cytat:

„Odejmij od człowieka alkoholika, a będziesz miał roz-
czarowanego idealistę".

DZIEŃ DWUDZIESTY DRUGI, ŚRODA
Obudził się z głębokim przeświadczeniem wewnętrznym, że
zna prawdę o swoim życiu. Że jego życie w całości było
określane przez uzależnienie. I to nie tylko tak, jak myślał
jeszcze kilka dni wcześniej, że dopasowywał to, co robił
i czego nie robił, do potrzeb uzależnienia. Alkoholizm wni-
kał głębiej, przesądzając o jego głębszym, jak gdyby wyjścio-
wym kolorycie uczuć. Dwa mechanizmy, jakimi jego alkoholizm się posługiwał, to lęk przed jakimkolwiek poważnym zobowiązaniem, w tym także przed miłością, której
W. się bał i którą odrzucał. A bez miłości był „jak cymbał
brzmiący".

Drugim mechanizmem były cierpienia i kryzysy życiowe.
„Cierpienia były mi potrzebne do tego, żeby pić. Teraz już nie
muszę cierpieć, skoro nie muszę pić" – zapisał czerwonym
kolorem w dzienniku. Po chwili dodał do tego negatywny obraz świata, który także dostarczał mu powodów do picia. Alkoholik niemal musi być krytyczny wobec innych i widzieć
świat w ciemnych barwach, bo wtedy ma powody, żeby pić.
W. zastanowił się, czy po wyjściu z Farmy zmieni mu się
spojrzenie na rzeczywistość i trzeźwym okiem zobaczy lepszy świat.

Poranny wykład miał Tom. Mówił, w jaki sposób komuniko-
wać uczucia. Zaczął od tego, że mając poczucie winy, człowiek pragnie udawać, że wszystko jest w porządku. A kiedy
uczucia są wyparte i zablokowane, niczego nie czujemy. Jednym ze sposobów omijania uczuć i radzenia sobie w życiu

jest pracoholizm. Tym bardziej skuteczny, że pracoholicy są cenieni społecznie i nagradzani. To zainteresowało W. resztą wykładu.

Teraz Tom narysował kwadrat podzielony na cztery prostokąty, zwane oknami Johari. W lewym górnym prostokącie znajduje się to wszystko, co jest dostępne nam i innym. W prawym górnym prostokącie – to, co inni widzą, ale my sami nie dostrzegamy, na przykład, że ktoś ma niemiły zapach, którego sam nie odczuwa. W lewym dolnym prostokącie znajduje się to, co my sami wiemy o sobie, ale trzymamy w tajemnicy, by inni się nie dowiedzieli. I wreszcie w prawym dolnym prostokącie znajduje się to wszystko, czego nie wiemy o sobie ani my sami, ani nikt inny.

W punkcie wyjścia u Toma to nie były prostokąty, lecz mniej więcej równe kwadraty. U alkoholika nie są. Lewy górny prostokąt jest bardzo mały: alkoholik ma bowiem zbyt wiele sekretów, by dopuścić innych do swego życia, tę przestrzeń pierwszego wchłaniają zatem prawy górny i lewy dolny czworokąt: alkoholik nie wie bardzo wielu rzeczy o sobie oraz wie wiele rzeczy, których nie wiedzą inni.

Terapia polega na tym, by zmienić proporcje między oknami Johari. Służy temu otwarcie się i wyjawienie tajemnic. W „pierwszym" i „czwartym kroku" trzeźwiejący alkoholik zdejmuje fasadę. W rezultacie lewy górny prostokąt powiększa się w dół, kosztem dolnego. Alkoholik już nie ma sekretów.

Do tego dochodzi sprzężenie zwrotne: alkoholik dowiaduje się od innych pacjentów, jakim go widzą. Jest to konieczne ze względu na system zakłamania alkoholowego, czyli racjonalizacje zachowań, usprawiedliwienia, zakłamywanie się, pijane myślenie. Wszystko to ma dowieść alkoholikowi, że nie ma on problemu. W efekcie nie może siebie uczciwie widzieć. Może siebie poznać tylko dzięki opiniom innych – i to niekoniecznie pozytywnym, przyjaznym. Czasem mogą to być konfrontacje bądź bolesne konflikty. Jeśli ktoś ma kłopoty z wieloma osobami wokół siebie, powinien przyjrzeć się sobie, a nie im.

Po uzyskaniu informacji od innych lewe górne okno wchodzi na prawe. W sumie, dzięki uczciwej otwartości oraz informacjom od innych ludzi, ogromną część prostokąta zajmuje to, co jest widoczne dla nas i dla innych. Sprawy ukryte przed innymi, a znane nam oraz znane innym, a nieznane nam – maleją. I chociaż prawy dolny czworokąt pozostaje nietknięty – życie staje się bez porównania uczciwsze i mniej skomplikowane. Cały ten proces terapeutyczny zmierza do tego, by odkryć, kim się jest. W. przypomniał sobie słowa Lindy: „Jesteś tak chory, jak twoje sekrety".

Po południu W. miał przedstawić swój program na przyszłość w dziale opieki poszpitalnej. Na jednej kartce przepisał większość notatek z ostatniego spotkania grupy u Ann. Mityngi AA, codzienne medytacje, czytanie literatury AA, telefonowanie do osoby kontaktowej, a później znalezienie sponsora. To było proste. Trudniejsze było wprowadzenie do codziennego programu środków zabezpieczających przed ryzykiem zapicia lub choćby powrotu „suchego kaca" i pijanego myślenia. Przyjrzał się jeszcze raz zapiskom oraz tabelom „czwartego kroku".

Rzuciła mu się w oczy niecierpliwość; zawsze chciał wszystko zaraz, natychmiast albo wczoraj. To go zresztą specjalnie nie zdziwiło. Zaskoczyła go natomiast nietolerancja. Sądził raczej, że jest tolerancyjny, zazwyczaj akceptował opinie innych ludzi, odmienne od jego poglądów. Nieźle przyjmował krytykę swojej twórczości, nie złościł się. Często wprowadzał uwagi innych do tego, nad czym pracował. Teraz zauważył, że bywał jednak nietolerancyjny wtedy, gdy ktoś sprzeciwiał się jego zdaniu, zwłaszcza w dziedzinach, w których czuł się lepiej poinformowany od rozmówcy. Był również nietolerancyjny wtedy, gdy ktoś zwracał mu uwagę w sprawach życia i jego postępowania, a także wówczas, gdy ludzie nie podporządkowywali się jego pragnieniom. Pomyślał, że tolerowanie odmiennych poglądów nie kosztuje wiele i jest łatwiejsze niż tolerancja wobec ludzkich zachowań i postaw.

Zastanowił się, które z tych cech powinien zmienić w pierwszej kolejności. Postanowił stać się uczciwy i zerwać z krętactwem. W tym celu będzie musiał nauczyć się mówić „nie". Przestać także ględzić, manipulować, zacierać granice między żartem a powagą. Będzie musiał popracować nad własnym poczuciem wartości, co może mu pozwoli nie czuć przymusu, żeby zawsze i wszędzie grać pierwsze skrzypce. A także zrobić coś z lękiem przed odrzuceniem i potrzebą akceptacji; to mu pomoże przezwyciężyć strach. W ogóle chciałby umieć otworzyć się uczuciowo, nauczyć się mówić, co czuje, także, gdy czuje złość. W ten sposób mógłby uniknąć wielu kłótni i gromadzonych w sobie urazów. Na koniec postanowił poradzić sobie z samotnością, pomyślał, że na początek mogą wystarczyć nowi znajomi w AA.

Na osobnej kartce opisał te aspekty życia, które najściślej wiązały się z alkoholem. Najpierw szła praca, nadmierna, służąca raczej kojeniu poczucia winy niż prawdziwej twórczości, a przez to będąca zbyt często mozołem i niedająca satysfakcji po ukończeniu. Postanowił przestać pisać dniami i nocami, przez wiele tygodni bez przerwy i ograniczyć pisanie do trzech lub czterech godzin dziennie. Wiedział, że może to być trudne, ale pomyślał, że w jego przypadku dyscyplina nie polega na tym, by zmusić się do pracy, lecz na tym, by o określonej porze odejść od biurka. Podobnie nowa dyscyplina będzie wymagać przestrzegania czasu na odpoczynek. Ale nie wiedział, jak mógłby odpoczywać.

Zastanawiał się, co dawniej lubił robić oprócz pracy, uprawiania seksu i picia alkoholu, którego zresztą tak naprawdę nie lubił. Przypomniał sobie dawne zainteresowania: książki, teatr, dyskusje z mądrymi ludźmi. Pomyślał o młodzieńczych marzeniach, których nie zrealizował. W szkole średniej dobrze biegał na długich dystansach, ale nie miał wytrwałości do systematycznego treningu; podobnie było z wioślarstwem i zapasami, które też trenował. Kochał wędrówki po górach, zawsze marzył o wyprawach w dalekie góry, a przynajmniej o przejściu całych Tatr, ale nigdy tego nie zrobił. Pomyślał, że mógłby do tego wrócić, podobnie jak mógłby nauczyć się nieco lepiej jeździć na nartach i grać w tenisa. Postanowił znów chodzić na koncerty i zwiedzać muzea. Wiedział, że to niewiele, ale dobre i to na początek. Może nauczy się hiszpańskiego oraz przypomni sobie francuski i włoski, których uczył się w młodości. Zauważył, że w odpoczynek zaczął wkładać nowe obowiązki.

Drugim obszarem niepokoju był seks. Wiedział, że wiązał się ściśle z pijaństwem, choć nie potrafił dokładnie określić tej zależności. Przeczuwał, że seks służył mu radzeniu sobie z potrzebą akceptacji i lękiem przed odrzuceniem i nie bardzo wiedział, jak sobie z tym poradzi. Jedno wiedział na pewno: jeżeli pójdzie na bok, wówczas prawdopodobieństwo zapicia wzrośnie niebotycznie, bo przecież zawsze wtedy pił. A nawet kiedy tylko o tym myślał. Postanowił zatem nie tylko być monogamiczny, ale również próbować poskromić rozbujaną wyobraźnię seksualną.

W relacjach społecznych i zawodowych postanowił zachowywać uczciwość i wyrzec się wątpliwych moralnie kompromisów, nawet za cenę strat materialnych i osobistych. Chciałby także ograniczyć konflikty sumienia związane z polityką, nawet gdyby groziła mu utrata paszportu, możliwości wyjazdów czy drukowania w prasie. Nie wiedział, jak to rozwiąże, ale postanowił na ten temat rozmawiać z grupą AA. Uświadomił sobie jednak, że w Ameryce nikt nawet nie zrozumie jego rozterek, pomyślał więc, że może znajdzie pomoc w polskim AA.

W. postanowił również w przyszłości raz jeszcze przerobić problem bezsilności i niezdolności kierowania własnym życiem, a także systematycznie zrobić cały „czwarty krok". Ann doradzała zresztą, by „krok" ten powtórzyć mniej więcej pół roku po wyjściu z Farmy. Wtedy też powtórzy „piąty krok", uwzględniając to, co sobie jeszcze przypomni. Zrobi „ósmy" i „dziewiąty"; napisze listy z przeprosinami do ludzi, których skrzywdził. Postanowił sporządzić również listę postaw, zachowań i zdarzeń, które mogą zagrozić jego trzeźwości. Chciałby mieć na piśmie, czego powinien przestrzegać, a czego się wystrzegać. Dodał jeszcze, że będzie czytać literaturę AA oraz pracować nad notatkami z Farmy.

Tak przygotowany W. poszedł na spotkanie, które go jednak rozczarowało. Nieznany mu Daniel, oczywiście też alkoholik, zapytał, czy ma plan dnia. W. pokazał kartki, sądząc, że będą o tym rozmawiać i Daniel zaakceptuje lub skoryguje szczegóły. Ale Daniel pokiwał głową, odfajkował dwie rubryki w kwestionariuszu i zapytał, gdzie W. będzie w najbliższym miesiącu. Gdy powiedział, że w Los Angeles, dał mu adres Joego, byłego pacjenta, który miał być jego kontaktem. Daniel powiedział W., żeby dzwonił do Joego w ustalonych z nim godzinach dwa razy dziennie. W. powiedział, że będzie skrępowany, zawracając komuś głowę i to tak często. Może będzie dzwonił wtedy, gdy gorzej się poczuje albo gdy nie będzie sobie radził. Daniel odpowiedział, że gdy W. gorzej się poczuje, na pewno nie zatelefonuje, bo pogorszenie samopoczucia zaczyna się właśnie od izolacji. Dlatego musi dzwonić o ustalonych porach, także wtedy, gdy będzie czuć się bardzo dobrze. Joemu będzie miło to usłyszeć. A zresztą Joe po samym tonie głosu W. wyczuje, czy u niego jest wszystko w porządku, czy też zaczyna dziać się z nim coś niedobrego.

Następnie Daniel przystąpił do zawierania kontraktu poszpitalnego z W. Przez półtora miesiąca po wyjściu z Farmy codziennie miał chodzić na mityng AA. W. zaprotestował. Chce być uczciwy i nie może zobowiązać się do rzeczy niemożliwych. Jedzie na miesiąc do Los Angeles, a później do Europy i po miesiącu do Polski. Nie wie, jak tam będzie. Może się zobowiązać, że w Los Angeles będzie chodził na spotkania pięć razy w tygodniu. Daniel uparł się, że sześć, i W. na to przystał. Poza tym zobowiązał się codziennie dzwonić do Joego, a także raz na tydzień – aż do wyjazdu z Ameryki – na Farmę. Przez najbliższe dwa lata raz na miesiąc miał pisać kartki pocztowe bądź listy do Lindy i Ann.

Poza tym W. zobowiązał się, że codziennie rano poświęci przynajmniej godzinę na medytacje i czytanie literatury AA. W. dodał do tego również pisanie bądź tłumaczenie tekstów związanych z AA, na co Daniel się zgodził. W. nie był jeszcze świadomy, że to może obrócić się przeciw niemu. Kolejną godzinę W. miał przeznaczać wieczorem na prowadzenie dziennika trzeźwości, na refleksję nad minionym dniem, na codzienny obrachunek moralny oraz na listę wdzięczności. Miał chodzić na mityngi AA w Polsce, jeśli to będzie możliwe, dwa razy w tygodniu. Miał także zdyscyplinować swoją pracę oraz znaleźć czas na trzeźwe życie towarzyskie.

W. podpisał zobowiązanie, a następnie w pokoju obok spotkał się z Jimem, dzięki któremu trafił na Farmę. Jim akurat przebywał z wizytą. Razem odwiedzili dyrektora Farmy, gdzie ucięli sobie miłą pogawędkę, a także omówili szczegóły spłacania kosztów kuracji w przyszłości.

Po obiedzie W. miał trochę czasu i wziął do ręki czasopismo literackie, które przywiózł ze sobą. Gdy czytał artykuł o jednym ze znanych myślicieli amerykańskich, przyszła mu do głowy myśl, że do pisania, tak samo jak do życia w ogóle, potrzebny jest jakiś stały punkt odniesienia, zbiór przekonań, który jest swego rodzaju busolą autora. Bez niej może być wszystko jedno, co się napisze, byle tylko ładnie brzmiało, miało wewnętrzną logikę i jakąś puentę. W. miał wrażenie, że czasem tak właśnie pisał. Uznał, że odtąd potrzebuje trwalszych wartości, które zapewniłyby mu zdolność do oceny świata, prądów myślowych, ludzkich postaw. Doszedł do wniosku, że wartości takie nie mogą przyjść z zewnątrz, one powinny być głęboko zakorzenione, najlepiej, jeśli będą wynikać z samego życia. Pomyślał z nadzieją, że tutejsze doświadczenie pozwoli mu stworzyć taki system wartości, choć nie miał jeszcze pewności, jaki on będzie. Widział już siebie jako doktora Jekylla, który nabierał wyrazu, uzyskiwał charakter oraz kształtował sobie system orientacji, potrzebny do tego, by twórczo przekształcać rzeczywistość, a może nawet kreować własne światy. Długo rozmyślał nad swoją twórczością, nad przyszłymi planami oraz nad książką, która coraz bardziej wypełniała mu głowę.

Myśli tych nie ujawnił podczas spotkania grupy terapeutycznej z Lindą, ale musiały one bardzo go absorbować, bo trudno było mu się skupić na czymkolwiek innym. Miał zrobić „czwarty krok", ale jakoś stracił odwagę i nie potrafił otworzyć się ze swoimi problemami do samego końca. Rano nawet sobie zapisał, że musi powiedzieć o swoich głównych problemach: dążeniu do kontroli, niezdolności trwałego uznania jakiejkolwiek siły wyższej, nieumiejętności życia tylko tym, co niesie dzień, bez obsesyjnego planowania całego życia i prób załatwienia wszystkich spraw naraz. Wiedział, że powinien poprosić grupę o pomoc w tych sprawach, a także w kwestii poczucia winy, które go stale gnębiło. Jednak nie potrafił tego zrobić. Miał nadzieję, że Linda wyciągnie z niego więcej pytaniami, ale ona przeszła do problemów, nad którymi pracował Bill. W. poczuł się tak, jakby coś ważnego stracił, i zalała go fala złości, głównie na siebie samego. Gdy przyszło do „zwrotów", nie był zdolny niczego powiedzieć Billowi. Zamiast tego zaczął znów coś mówić o sobie, ale ani on, ani inni nie wiedzieli, o co mu chodzi. Linda wyraziła zaniepokojenie. Sam W. też się przestraszył.

Poszedł do Ann. Powiedziała mu, że nie może mu w niczym pomóc, że W. za często do niej przychodzi ze swoimi problemami. Niech pyta grupę. Niech powie grupie, że był nieuczciwy, bo udawał, że czuje się świetnie, podczas gdy w środku coś mu się gotowało. Ale niech się nie martwi obecnym kryzysem. Może on jest potrzebny. Bo od mniej więcej tygodnia Ann i reszta personelu byli zaniepokojeni tym, że W. wszystko w terapii za dobrze idzie. Był szczęśliwy, radosny, miał coraz większe poczucie, że sobie radzi i poradzi. Oni mawiają o kimś takim, że znalazł się na różowej chmurce. Z takiej chmury trzeba spaść i upadek bywa bolesny. Lepiej, by nastąpił jeszcze tutaj, na Farmie, a nie po wyjściu na zewnątrz.

W. odszedł niepocieszony. Pełen wahań długo i nerwowo rozmyślał. Nie mógł zgodzić się z Ann. Wcale nie był nieuczciwy, niczego nie udawał, tylko akurat tak wtedy czuł. Czuł, że jest zdolny poradzić sobie intelektualnie ze swoimi problemami. Wiedział, że musi polegać na sobie. Czyżby to było znów dążenie do kontroli? Dlaczego nie potrafił się przemóc, gdy miał zwrócić się ze swoimi problemami do grupy? Czy to był strach bądź nieśmiałość? A może pycha? I skąd nagłe poczucie całkowitej beznadziejności, gdy Linda nie zapytała o jego problemy?

Dochodziła szósta. W. pomyślał, że czuje się właściwie gorzej niż przed przyjazdem na Farmę. Więcej wiedział o alkoholizmie, wiedział, że sam z tego nie wyjdzie, więc tym bardziej był przerażony. Wiedział, że przede wszystkim musi wyjść z izolacji. Na Farmie jest w idealnych warunkach, na dodatek sztucznie stworzonych. Mimo to od tygodnia czuł się tu bardzo samotny, ale teraz już bez skorupy, w której mógłby się zamknąć. Usiłował sobie z tym radzić, dobrze mu szło, czuł się szczęśliwy. Jednak, gdy zdał sobie sprawę ze swojej potrzeby kontrolowania wszystkiego i wszystkich oraz z innych problemów, które czekają na niego po wyjściu, a jednocześnie nie umiał poprosić grupy o pomoc, pogubił się zupełnie. Czuł tylko strach przed tym, co będzie po wyjściu. Wszystkie jego zapiski i ustalenia z Danielem wydawały się niewystarczające.

Jednocześnie był zły na siebie, że nie potrafił zaprzątać głowy innym swoimi sprawami. Rzadko zwoływał grupę, na zebraniach zwoływanych przez innych nie mówił o swoich sprawach. Poczuł też urazę do nieobecnego już Erika, który kiedyś przerwał mu jakąś wypowiedź, twierdząc, że W. zwołuje za wiele spotkań. Do Lindy, że nie okazuje mu wystarczającej uwagi. Do Marka, że też go nie chciał słuchać, a także o to, że przez trzy dni musiał go prosić o opinię do „czwartego kroku". Do Sama, że zaczyna mówić o sobie wtedy, gdy W. potrzebuje uwagi innych.

Zdał sobie sprawę, że bardzo trudno mu się otworzyć, a gdy to robi, czuje, że może zostać przez kogoś zraniony i natychmiast szczelnie zamyka się razem ze swoimi problemami. A potem próbuje samemu radzić sobie z nimi intelektualnie, bo tylko tak umie. A kiedy to się nie udaje, następuje kryzys.

Pod wpływem nagłej determinacji W. zwołał spotkanie grupy. Powiedział o złości na samego siebie o to, że nie potrafił poprosić o pomoc. Potem jeszcze raz opowiedział o złości i całym zdarzeniu podczas wieczornego spotkania AA. Postanowił głośno prosić o pomoc.

Wieczorem wychodzący nazajutrz Bill zwołał jeszcze jedno spotkanie grupy. Wszyscy myśleli, że chce się pożegnać, ale Bill powiedział, że martwi się o W. Zbliżyli się tu bardzo do siebie, Bill polubił W. i nie miałby spokojnego sumienia, gdyby nie powiedział, że jego zdaniem W. znowu robi za dużo notatek. Bill ma wrażenie, że mniej więcej tydzień temu w W. ponownie obudził się pisarz i odtąd przestał korzystać z pobytu na Farmie. W. był wściekły, że Bill nie powiedział o tym najpierw jemu, lecz od razu całej grupie. Inni podzielili bowiem te obawy i zakazali W. robienia notatek oraz prowadzenia dziennika. „Twoje pisanie nie jest tak ważne, jak twoja trzeźwość" – oświadczyli bezradnemu W.

W. przestrzegał zakazu przez dwa dni. W piątek wieczorem zanotował jednak kilka zdań. Zauważył, że jest skłonny pomagać tylko tym pacjentom, którzy poddają mu się i stosują jego rady. Gdy ktoś mu się opiera i idzie własną drogą, W. wpada w gniew i opuszcza takiego podopiecznego.

DZIEŃ DWUDZIESTY PIĄTY, SOBOTA

Od rana padał deszcz, toteż medytacje odbyły się w sali wykładowej, a nie na trawniku. W książeczce „24 godziny" była mowa o modlitwie; aby w niej szukać lekarstwa na poczucie krzywdy i urazy oraz tolerancji dla innych. Sugerowano, by modlić się do skutku, aż modlitwa zapewni spokój wewnętrzny i pogodę ducha. W. wydawało się to nieosiągalne. Pamiętał jednak, że Charlie powiedział na jednym z wykładów, że sam stał w obliczu podobnego problemu. Nie miał Boga, nie miał żadnej z nim więzi, ale usłyszał po przyjściu do AA, że z jakimś Bogiem łatwiej trzeźwo żyć. Postanowił dać Bogu szansę. Codziennie rano klękał i modlił się do niego, by ten przyszedł do Charliego. Przyszedł po trzech latach. W. pomyślał, że może też mógłby tego spróbować. Spodobała mu się za to medytacja z broszury dla kobiet „Co dzień nowy początek", gdzie była mowa o tym, by nie myśleć o Bogu jako o mężczyźnie – bo Bóg musi być także kobietą albo bytem ponad wszystkimi podziałami.

Tematem medytacji z tomiku „Na otwarcie oczu" była samotność alkoholika. „Rozbitek na bezludnej wyspie może w końcu natrafić na innego rozbitka, ale alkoholik jest zawsze tylko sam na sam ze sobą, nawet w świecie pełnym alkoholików. To jedna z najbardziej brutalnych cech choroby, która oddziela alkoholików od innych i czyni z nich wygnańców – bez ojczyzny, bez nadziei i bez przyjaciół". W. przypomniał sobie osamotnienie, jakie zawsze odczuwał, i wystraszył się, czy samo niepicie wystarczy do jego przezwyciężenia.

Podczas ostatniego już spotkania grupy kontrolnej Ann przygotowywała pacjentów do tego, co zastaną po wyjściu. Opowiedziała o różnego rodzaju mityngach AA. Doradzała spotkania polegające na swobodnej wypowiedzi oraz dyskusyjne, na których każdy może mówić o tym, co aktualnie przeżywa i co go boli. Mówiła, kiedy trzeba chodzić na mityngi. „Wtedy, kiedy jesteś napięty lub zmęczony albo w wyjątkowo dobrym humorze. Ale gdy odniesiesz sukces, też idź na mityng, bo przecież wtedy zazwyczaj piłeś". Gdy już wyglądało na to, że stale trzeba siedzieć na spotkaniach AA, Ann ostrzegła, by tego nie robić. Nie należy bowiem traktować mityngów jako kolejnej formy ucieczki od normalnego życia. Najlepiej chodzić codziennie przez dziewięćdziesiąt dni. Potem można chodzić trzy, cztery razy w tygodniu, a z czasem – raz na tydzień.

Wiele pytań dotyczyło porównania AA z warunkami na Farmie. Ann wyjaśniła, że zasady Farmy opierają się na „krokach" i filozofii AA, ale to nie jest AA. Na Farmie jest więcej konfrontacji z innymi, podczas gdy w AA ludzie są wobec siebie bardziej opiekuńczy, nie tak ostrzy jak tutaj.

Ann powiedziała, by jak najszybciej, może w ciągu pierwszego miesiąca, znaleźć sobie sponsora. Powinna to być osoba tej samej płci, aby uniknąć powikłań uczuciowych. Sponsor powinien mieć za sobą przynajmniej dwa lata trzeźwości.

Warto wybrać kogoś prostego, nieprzeintelektualizowanego, ale jednocześnie twardego. Sponsora warto słuchać, on zazwyczaj wie lepiej od nas, co robić w ryzykownych sytuacjach. Warto pamiętać, że sponsorowi można podziękować i zmienić go na innego.

Ann radziła także, by w AA zbierać jak najwięcej numerów telefonów innych uczestników spotkań, do których można zadzwonić, gdy sponsor jest niedostępny. Przymus picia atakuje nagle i podstępnie, wtedy, gdy się nie spodziewamy. Wydaje się wszechpotężny, ale mija dość szybko i to niezależnie od tego, czy się napijemy, czy nie. Najważniejsze to przetrwać pierwszy atak i nie zacząć samemu rozważać argumentów za i przeciw. Taki wewnętrzny dialog z reguły doprowadzi do baru. Lepiej natychmiast zatelefonować do kogoś w AA, zacząć o tym mówić, a wtedy przymus minie. Toteż dobrze wziąć telefony od ludzi, których można zastać o każdej porze – jednych rano, innych w dzień, a jeszcze innych późnym wieczorem.

Na koniec tej części Ann przypomniała, że pacjenci nigdy nie będą byłymi alkoholikami, ale mają szanse na zawsze pozostać trzeźwiejącymi – czyli niepijącymi i pracującymi nad własnym rozwojem – alkoholikami.

Pod koniec zebrania W. zapytał Ann, czy może zrobić „piąty krok". Czuł się trochę niepewnie, bo miał wrażenie, że nigdy nie dokończył „czwartego", ale chciał mieć to z głowy, wyznając grupie własne błędy. Gdy Ann powiedziała, że prawdopodobnie nie będzie już na to czasu, W. się zdenerwował. Przypomniał, że przecież ksiądz Joe został usunięty z Farmy właśnie za niemożność zrobienia „piątego kroku", a teraz W. odmawia się tego, czego od innych się wymaga. Ann powiedziała, że W. będzie sobie musiał jakoś z tym poradzić i zrobić „piąty krok" w AA, już po wyjściu z Farmy.

W. nie mógł się z tym pogodzić. Znów poczuł się oszukany i odrzucony. Po godzinie zwołał grupę i zażądał, by przyjęli od niego „piąty krok" jeszcze przed wyjściem w poniedziałek. Odpowiedział mu Sam, z nieukrywaną złością mówiąc, że W. wcale nie chodzi o „piąty krok", tylko o to, żeby postawić na swoim. Dołączył do niego Mark, który był zły na W. już podczas zebrania grupy kontrolnej. Potem rozpętało się piekło. Uczestnicy grupy zarzucili W., że za dużo mówi, a sam nie słucha innych, przerywa, nie daje się w pełni wypowiedzieć, a od jakiegoś czasu zaczął innych pouczać. Doradzili mu więcej tolerancji i zasugerowali, by zamiast nieustannych prób narzucania swego zdania i kontrolowania innych częściej pytał ich o opinię i radę we własnych sprawach. A także tego, by uczył się wyrażania uczuć, zwłaszcza złości, w taki sposób, by nie krzywdzić innych. Wszyscy mówili to życzliwie i z troską, ale stanowczo.

W. wyszedł ze spotkania przygnębiony. Przed popołudniowym filmem wstał i przeprosił za próby kontroli. Postanowił pracować nad drobnymi zachowaniami, których sam nie widzi, a które mogą innych drażnić. Po filmie poszedł do swego pokoju, aby to zapisać, bo nie chciał o tym zapomnieć. Zapisał także ogólniejszą myśl na temat dążenia do kontroli i władzy. Refleksję, czy nie wiąże się to ze znanym w naukach społecznych pojęciem osobowości autorytarnej. Przecież niewolnik nie chce równości, bo tej nie zna; jego marzeniem jest to, by być właścicielem niewolników. Poddany chce być panem, o czym najlepiej świadczyła historia

Polski w czasach komunizmu. Zastanowił się, czy Solidarność coś zmieniła.

Nagle w otwartych drzwiach pojawiła się Karen. Za nią Sam, Mark, Richard i Laura. Podeszli do biurka W. Sam powiedział, że domyślali się, iż nałóg pisania może być u W. równie silny jak alkoholizm. Im jednak bardziej zależy na jego trzeźwości. Poprosili, by oddał im wszystkie pióra i ołówki, zeszyty i czyste kartki. Gdy W. próbował bronić dziennika i notatek, powiedzieli, że dostanie je z powrotem w poniedziałek przy wyjściu z Farmy. Zrezygnowany W. oddał wszystko. Po ich wyjściu został sam. Zupełnie sam ze sobą, ze swoją wczesną trzeźwością i poczuł się bezradny jak dziecko. Nie wiedział, co z tym wszystkim i z sobą zrobić. W bezsenną noc czuł przed sobą pustkę. Czym ją wypełni?

Już nic więcej nie zapisał. Starał się zapamiętać przynajmniej to, co wydawało mu się najważniejsze. Pamiętał, że bał się wyjść na świat. Pomimo trudnych przeżyć, na Farmie po raz pierwszy w życiu poczuł się bezpiecznie. Świat zewnętrzny kojarzył mu się z dawnym życiem i z ryzykiem. Pocieszał się tylko słowami Ann z ostatniego zebrania grupy kontrolnej, że ten świat też wyda się im inny, lepszy niż poprzednio.

Zapamiętał też słowa Charliego z wieczornego wykładu przedostatniego dnia. Charlie zapytał retorycznie: „Czy wy sobie wyobrażacie, że jak pijany drań przestanie pić, to od razu staje się aniołem? On najpierw staje się trzeźwym draniem i odtąd musi się starać, by przestać być draniem".

Przed samym wyjazdem poszedł pożegnać się z Lindą. Podziękował jej za „twardą miłość". Zapytała, czego jeszcze chciałby się dowiedzieć przed odjazdem. W. powiedział, że wciąż nie wie, skąd się wziął jego alkoholizm. Linda odpowiedziała, że znikąd. Wziął się i jest. W. nie ustępował, wciąż jeszcze chciał wiedzieć, jak się ma alkoholizm do różnych problemów życiowych. Dowiedział się, że miał te problemy, bo pił, a nie odwrotnie, jak sądził. Po co więc „czwarty krok", po co było to całe grzebanie w przeszłości? Linda nie odpowiedziała wprost. Ale poradziła, by W. jeszcze raz spojrzał na swoją kartkę życia i popróbował oddzielić problemy ze światem zewnętrznym od problemów wewnętrznych – z samym sobą.

W. postanowił to zrobić. Pamiętał również pytanie: „Kim jesteś?". Teraz miał cel: znaleźć odpowiedź na to pytanie i przestawać być draniem. Nie przeczuwał, jakie to będzie trudne.

Postanowienie to zapisał w dzienniku, który dostał z powrotem przy wyjściu. Zaczął go czytać na dworcu, czekając na autobus. Nagle poczuł lęk, który narastał z każdą przeglądaną kartką. Uświadomił sobie, że teraz będzie musiał odrzucić nie tylko to, co było złe, ale także to, co cenił, co mu służyło, bo pozwalało mu radzić sobie ze złem, a przynajmniej jakoś je równoważyć.

Wierzył, że z pomocą AA może mu się uda żyć bez alkoholu, który przyrównał do jadu, zatruwającego jego samego, oraz do szponów i pazurów, którymi ranił innych. Ale czy uda mu się zmienić skórę, odrzucić pancerz, który chronił go przed światem? Czy będzie potrafił żyć bez władzy, kontroli i manipulacji?

Już w autobusie, chyba na poły drzemiąc, zobaczył, co było pod tą skórą. Nagle uświadomił sobie, że na alkoholizm wcale nie był chory pan Hyde, ale doktor Jekyll. Że W. nie został stworzony tylko po to, by być myślącym, inteligentnym, twórczym człowiekiem. Że wciskając siebie w te ramy, usunął z własnego życia inne wymiary i wartości, bez których nie potrafił szczęśliwie żyć. W ten sposób skazał siebie na chorobę, na którą lekarstwem był pan Hyde.

Teraz W. naprawdę przestraszył się swoich notatek. Bał się, że jeśli zacznie w nich grzebać, zapije. Postanowił je schować i być może powrócić do nich, gdy przestanie się bać. Wtedy, kiedy doktor Jekyll nauczy się żyć bez obawy rozbudzenia drzemiącego w nim na zawsze pana Hyde'a.

Trwało to dwadzieścia lat.